RICHELIEU ET LE THÉATRE

OUVRAGES DU MEME AUTEUR

La Vieillesse de Corneille (1658-1684). Paris, Maloine, 1949.

Le Légendaire cornélien. Paris, Deshayes, 1949.

Corneille et la Fronde. Théâtre et politique il y a trois siècles. Clermont-Ferrand, Publ. de la Fac. des Lettres de Clermont, 1951.

Réalisme de Corneille : La clef de «Mélite». Réalités dans «Le Cid». Paris, Les Belles Lettres, 1953.

Poétique de La Fontaine. Paris, P.U.F., 1957.

Corneille. Paris, Hatier, 1958 («Connaissances des Lettres»).

La Fontaine : *Contes et Nouvelles.* Introduction, bibliographie, sommaire biographique, notes et relevé de variantes. Paris, Classiques Garnier, 1958.

La Politique de La Fontaine. Paris, Les Belles Lettres, 1959.

Pierre Nicole : *Traité de la Comédie.* Introduction, notes et variantes. Paris, Les Belles Lettres, 1961.

La Fontaine : *Fables choisies mises en vers.* Introduction, bibliographie, sommaire biographique, notes et relevé de variantes. Paris, Classiques Garnier, 1962.

Louis Jaquemin Donnet : *Le Triomphe des Bergers.* Préface. Saint-Etienne, C.I.T.A.C., 1971.

Pensées de M. Pascal. L'Édition de 1670 et ses compléments (1678-1776). Introduction. Saint-Etienne, C.I.T.A.C., 1971.

Molière : *Œuvres complètes.* Paris, Gallimard, 2 vol., 1971 («Bibliothèque de la Pléiade»).

Le Père Hercule : *Lettres à Philandre* (1637-1638). Texte inédit, présenté et annoté en collab. avec Yves Giraud. Fribourg, Ed. Universitaires, 1975.

La Promenade des Terreaux. Comédie en 3 actes et en prose, de Pierre-François Biancolelli dit Dominique le Fils. Préface et notes. Lyon, C.E. R.T. (Univ. Lyon II), 1977.

Corneille : *Œuvres complètes.* Paris, Gallimard, 3 vol. («Bibliothèque de la Pléiade»), t. I et II parus en 1980 et 1984.

Corneille et la tragédie politique. Paris, P.U.F., 1984.

*

Mélanges de littérature et d'histoire offerts à Georges Couton. Etudes réunies par Jean Jehasse, Claude Martin, Pierre Rétat et Bernard Yon. Lyon, P.U.L., 1981, 637 pp. (Epuisé).

Georges Couton

Richelieu
et le théâtre

PRESSES UNIVERSITAIRES DE LYON

314914

Vignette de couverture : *Richelieu*, burin de Nicolas Vienot (1663).

© Presses universitaires de Lyon, 1986
86, rue Pasteur — 69007 LYON
ISBN 2-7297-0290-3

«La comédie n'a été en honneur que depuis que le cardinal de Richelieu en a pris soin et avant cela les honnêtes femmes n'y allaient point.»

Tallemant, **Historiette de Mondory**
(Pléiade, II, 774)

«Comme il ne faut souvent pour donner le branle à tout un royaume qu'un seul homme quand il est élevé aux premiers rangs, la passion que le Cardinal avait pour la Poésie Dramatique l'avait mise en ce temps-là parmi les Français au plus haut point où elle eût encore été. Tous ceux qui se sentaient quelque génie ne manquaient pas de travailler pour le Théâtre : c'était le moyen d'approcher des Grands et d'être favorisé du premier ministre qui de tous les divertissements de la Cour ne goûtait presque que celui-là [...]. Non seulement il assistait avec plaisir à toutes les comédies nouvelles; mais encore il était bien aise d'en conférer avec les Poètes, de voir leur dessein en sa naissance et de leur fournir lui-même des sujets. Que s'il connaissait un bel esprit qui ne se portât pas par sa seule inclination à travailler en ce genre, il l'y engageait insensiblement par toute sorte de soins et de caresses.»

Pellisson, **Histoire de l'Académie française**
(1653, p. 174)

Avant 1634, on relève quelques marques d'intérêt de la part du Cardinal de Richelieu pour le théâtre : une représentation est offerte par lui au Roi et à la Reine, quelques pièces lui sont dédiées. Tout cela n'a guère d'importance, ou seulement l'importance de symptômes. A la fin de 1634 et en 1635, tout change : les événements se précipitent et il apparaît clairement que le Cardinal s'est décidé à avoir une politique culturelle et spécialement une politique théâtrale.

Depuis la Journée des Dupes (10 novembre 1630) il est le maître en second — et d'aucuns disent le maître en premier — de la France. Dans le domaine de la culture, il a les mains libres : le Roi ne s'y intéresse pas et dès la mort du Cardinal supprimera les gratifications aux gens de lettres : «Nous n'avons plus affaire de cela» (1).

Le 6 janvier 1635, la *Gazette* de Renaudot, qui est une manière de journal officiel. et existe depuis 1630, publie un article important : «Sachant que la Comédie, depuis qu'on a banni des théâtres tout ce qui pouvait souiller les oreilles les plus délicates, est l'un des plus innocents divertissements et le plus agréable à sa bonne ville de Paris», le Roi veut «entretenir» trois bandes de comédiens : à l'Hôtel de Bourgogne, au théâtre du Marais (2), et une sur la rive gauche au Faubourg Saint-Germain.

Cette déclaration avait été précédée d'un remaniement (3) autoritaire des troupes, remaniement autoritaire justifié par le fait que le pouvoir subventionnait. L'importance de la subvention pour 1635 ne nous est pas connue; nous savons que pour 1641 l'Hôtel de Bourgogne recevra 12.000 livres, le Marais 6.000 (4). La troupe du Faubourg Saint-Germain n'a apparemment pas réussi à s'implanter : il ne sera plus question d'elle.

Paris avait donc deux troupes permanentes aidées par le pouvoir. Peut-être était-il dans les intentions du Cardinal qu'il n'y en eût qu'une (5) ?

Un autre événement de 1635 est dans le domaine de l'édition. En 1635 en effet, avec un privilège de 1633, paraissent quatre livres : la qualité de l'impression laisse clairement apparaître qu'ils ont été financés officiellement. Deux sont offerts au Roi, deux au Cardinal; deux sont en vers latins, deux en vers français; bel équilibre. Ce sont, pour le Roi, le *Parnasse Royal* et les *Palmae regiae*; pour le Cardinal, *Le Sacrifice des Muses* et les *Epinicia Musarum*. Le maître-d'œuvre de cette entreprise est Boisrobert. Nous allons rencontrer les uns après les autres les écrivains et singulièrement les écrivains de théâtre qui ont gravité dans l'orbite de Richelieu. Boisrobert (6) est sans doute le plus important.

Il est certes l'amuseur du Cardinal, homme d'humeur noire que Boisrobert réussissait à dérider. Boisrobert profitait de sa faveur moins pour lui que pour ses confrères écrivains. Il représentait les gens de lettres auprès du Cardinal, et le Cardinal auprès des gens de lettres. Sa faveur date de 1633 et elle lui vaut d'être entouré d'une foule de solliciteurs. Il est d'une grande complaisance et les écrivains qui ont besoin d'un mécène lui doivent beaucoup. Grâce aux sollicitations de Boisrobert auprès du Cardinal, dès cette époque a failli s'organiser une aide aux écrivains qui prélude au système des gratifications organisé sous Louis XIV par Colbert et Chapelain.

A ces quatre livres ont collaboré tous les écrivains néo-latins ou français de quelque importance. Cette mobilisation des poètes autour du Roi et du Cardinal fait date, par l'intention politique au moins; quant à la qualité des contributions, il y faudrait regarder de plus près : l'éloquence officielle a ses limites.

Le pamphlétaire Mathieu de Morgues, qui avait rompu avec Richelieu pour rester du parti de la Reine mère Marie de Médicis, appelait malignement les écrivains au service du Cardinal la volière de Psaphon : «Ce Psaphon, qui avait dans des cages quantité de perroquets, merles, pies, geais, sansonnets et autres oiseaux de semblable nature; auxquels ayant enseigné, avec un très grand soin, à dire souvent «Psaphon est un grand dieu» et les ayant lâchés, ces écoliers qui répétaient toujours la seule leçon qu'ils savaient attirèrent le peuple ignorant à dresser des autels à cet imposteur» (7).

Psaphon était ainsi le précurseur de la publicité politique.

Il a laissé postérité. De fait les quatre livres que nous venons de citer organisent en faveur du Cardinal un concert de louanges non indigne de Psaphon.

Dans l'un de ces quatre volumes, le *Sacrifice des Muses au grand Cardinal de Richelieu*, parmi les contributions d'autres poètes, une longue ode au Cardinal est signée Mondory. C'est le plus important des comédiens du Marais. Grand acteur et qui a de surcroît le mérite d'avoir été le découvreur de Corneille, Mondory est aussi un homme qui a su se faire sa place dans les cercles lettrés, un comédien «honnête homme» au sens qu'a alors le mot, et sans doute le premier en date. Un comédien soucieux de sa dignité : «Sa femme n'a jamais pensé à jouer sur le théâtre et lui-même n'a jamais joué à la farce.» (8)

Le Cardinal «affectionnait» Mondory et Balzac lui écrit une lettre magnifique : «ayant nettoyé la scène de toutes sortes d'ordures, vous pouvez vous glorifier d'avoir réconcilié la comédie avec les dévots et la volupté avec la vertu.» (9)

La présence de Mondory dans *Le Sacrifice des Muses* représente une consécration inimaginable quelques années plus tôt.

Les comédiens sont pour l'Église des excommuniés; en droit civil ils sont des sujets diminués qui doivent être «réhabilités» s'ils veulent exercer quelque charge. (10)

On ne peut imaginer que Mondory ait pu prendre place dans *Le Sacrifice des Muses* sans l'aveu du Cardinal. Un grand effort pour réhabiliter le théâtre et les comédiens commence de par la volonté du Cardinal et en tout cas avec son approbation. Il va se manifester sous la forme d'une véritable campagne de presse pendant l'année 1635.

Cette campagne de presse débute avec l'article déjà cité de la *Gazette*, le 6 janvier 1635. En février, Boisrobert prononce un discours dans la série de discours que prévoient les Statuts de l'Académie dont la fondation est toute récente (11). Ce discours, qui n'a pas été conservé, est une «Défense du théâtre» (12).

La même année Scudéry, qui est lui aussi un homme de Richelieu (13), donne sa *Comédie des comédiens*. Il y fait un très bel éloge du poète dramatique, ce Protée, qui sait faire parler les bergers et les rois, traiter de politique comme de morale, d'art militaire, de navigation. On prête à tort aux comédiens une vie dissolue; en vérité il lui faut de solides qualités intellectuelles : esprit, jugement, mémoire, connaissance de l'histoire et de la fable, souci de conserver la pureté du français. En 1639, dans son *Apologie du théâtre*, Scudéry renouvellera cet éloge de la comédie, objet de la vénération de tous les siècles vertueux, divertissement des Empereurs et des Rois, occupation des grands esprits, tableau des passions, images de la vie humaine, histoire parlante, philosophie visible, fléau du vice et trône de la vertu.

Pendant la saison théâtrale 1635-1636, Corneille fait jouer son *Illusion comique*. Il s'y trouve un très beau plaidoyer en faveur du théâtre (Acte V, sc. 6) que chacun «à présent» «idolâtre», le théâtre «amour de tous les bons esprits,... entretien de Paris, souhait des provinces, délices du peuple, plaisir des grands, divertissement des Princes »,

«de ceux dont nous voyons la sagesse profonde
Par ses illustres soins conserver tout le monde»

entendons le Cardinal. Le théâtre métier honorable et qui nourrit son homme, le théâtre «fief dont les rentes sont bonnes». Le théâtre auquel les meilleurs poètes «consacrent leurs veilles».

Cette apologie directe et vibrante du théâtre prend une signification plus directe encore si l'on considère qu'elle conclut une pièce dont le plus secret message est qu'il n'y a pas de différence essentielle entre les comédiens et les Princes; les comédiens étant très capables de faire illusion.

On ne peut pas penser que Scudéry et Corneille écrivaient sans savoir que leurs propos allaient dans le sens de la politique de celui qu'ils appelaient leur Maître, le Cardinal.

En cette même année 1635 étaient réimprimées les œuvres d'un farceur illustre de l'Hôtel de Bourgogne, Bruscambille (14). Parmi ses propos facétieux il s'en trouvait un de ton très sérieux, intitulé «De la comédie». Bruscambille justifie le théâtre contre l'opinion de la «lie du peuple»; il montre que de grands personnages dont des gens d'Église l'ont approuvé, ainsi saint Grégoire de Nazianze, saint Thomas d'Aquin. Il faut, dit-il, distinguer entre les véritables représentations tragiques et comiques, qui sont tolérables, et les farces «garnies de mots de gueule» et surtout les comédies italiennes dont la plus chaste est «cent fois plus dépravée de paroles et d'action» que les farces. La présence de cette justification, avec des thèmes qui reparaîtront au cours du siècle, à un endroit inattendu, est très remarquable.

Ce qui nous apparaît comme une campagne de presse aura sa conclusion juridique avec la déclaration royale du 16 avril 1641 (15). Nul doute que cette déclaration ait été préparée ou inspirée par Richelieu et son état-major théâtral. Elle comporte deux aspects. D'une part elle interdit les actions déshonnêtes, les paroles lascives et à double entente. Éventuellement, la Justice procéderait, interdirait le théâtre aux comédiens coupables sans pouvoir ordonner de plus grandes peines que l'amende et le bannissement. Mais d'autre part «en cas que les comédiens règlent tellement l'action du théâtre qu'elle soit du tout exempte d'impureté, le Roy veut que ledit exercice, qui peut innocemment divertir nos peuples de diverses occupations mauvaises ne leur puisse être imputé à blâme ni préjudicier à leur réputation dans le commerce public.»

Cette déclaration royale sera au reste en quelque sorte appuyée par une conférence du Bureau d'adresses du 22 juillet 1641 : «De la comédie et si elle est utile à un État». La conclusion est affirmative.

Les Conférences du Bureau d'adresses sont au même titre que la *Gazette* sous la direction de Th. Renaudot, et c'est une organisation presque officielle.

Les auteurs dramatiques avec Corneille et Scudéry, le journalisme avec Renaudot ont collaboré à la réhabilitation de la comédie; cela, sans aucun doute à l'instigation du Cardinal, avec la certitude au moins de lui plaire.

D'ailleurs dans le prologue d'*Europe* (1642) la Paix célèbrera le retour au travail tranquille, au commerce international, à la Poésie. Les Muses reviendront et
«N'auront pas à mépris
De monter sur la scène et de plaire aux esprits».
La campagne de presse officielle en faveur du théâtre trouve ainsi son couronnement.

Un autre événement de cette année 1635, c'est que Richelieu

se fait auteur de théâtre dans des conditions sur lesquelles nous nous expliquerons plus tard. Dès février est jouée *La Comédie des Tuileries*, ce n'est sans doute qu'une répétition. La *Gazette* du 10 mars annonce qu'elle a été jouée le 4 devant la Reine et qu'elle vaut par la «bonté de ses acteurs» et «la majesté des vers composés par les cinq fameux auteurs».

Réorganisation des troupes parisiennes, réhabilitation du théâtre et du métier de comédien, le Cardinal mettant lui-même la main à la plume, si l'on ajoute que les lettres patentes instituant l'Académie Française sont signées le 25 janvier 1635, on voit l'importance de cette année dans notre histoire culturelle. Tout se passe comme si le pouvoir, c'est-à-dire Richelieu, voulait prendre en main la culture.

Telle est bien certainement sa volonté. Pourquoi ? Par goût personnel pour le théâtre : «J'ai déjà dit qu'il n'aimait que les vers. Un jour qu'il était enfermé avec Desmarets que Bautru avait introduit chez lui, il lui demanda : A quoi pensez-vous que je prenne le plus de plaisir ? – A faire le bonheur de la France, lui répondit Desmarets. Point du tout, répliqua-t-il, c'est à faire des vers. [...] Il ne faisait que des tirades pour des pièces de théâtre, mais quand il travaillait, il ne donnait audience à personne. D'ailleurs il ne voulait pas qu'on le reprît» (16).

Mais le Cardinal est aussi engagé dans une guerre de pamphlets et de libelles. Son principal adversaire est Mathieu de Morgues qui dénonce violemment ses espions et ses écrivains à gages, sans les distinguer : «Je ne dis rien d'un tas de flatteurs de toutes conditions, qui vous assiègent et votre table; qui sont payés aux dépens du Roi et du public pour chanter vos louanges et vous servir de mouchards. Entre ceux-là sont vos écrivains à gages, qui sont la plupart vos pensionnaires et comme domestiques nourris et récompensés pour aller de maison en maison relever vos actions et faire toutes les semaines des libelles remplis de calomnies contre ceux que vous n'aimez pas et farcis de flatteries pour vous.» (17) Le théâtre se situe certes au-dessus des folliculaires informateurs que de Morgues dénonce avec cette vigueur. N'empêche, quiconque écrit contribue à orienter l'opinion publique. Le Cardinal est l'un de nos premiers politiques à avoir compris l'utilité de la propagande. Une réputation de mécène, de connaisseur et même d'auteur de théâtre convenait bien à un homme d'État, et cela d'autant plus qu'il menait une politique brutale et discutée.

PROJETS D'ORGANISATION THÉATRALE

Nous allons être amenés à faire connaissance avec d'autres hommes de théâtre de Richelieu au fur et à mesure que la chronologie les fera apparaître. J'emploie à dessein ce mot vague d'hommes de théâtre pour éviter la formule «équipe théâtrale». Des animosités féroces, dont il serait vain de préciser l'histoire, opposent ces gens que Richelieu emploie, bien plus souvent que des amitiés ne les unissent. Les gens de lettres sont susceptibles et la brigue pour obtenir les faveurs d'un maître autoritaire n'engage pas à la mansuétude.

Outre sa nièce Madame de Combalet, devenue duchesse d'Aiguillon, les héritiers du Cardinal étaient ses neveux. De sa sœur Nicole est né Jean-Armand de Maillé-Brézi (1604-1646). Il a eu pour précepteur François Hédelin abbé d'Aubignac (18). D'un autre de ses neveux, François de Vignerod du Pont de Courlay, Richelieu a un petit-neveu, Armand-Jean (1629-1715) qui reprendra le nom et les armes de son grand-oncle le Cardinal. Il a pour précepteur Desmarets que nous retrouverons plus loin.

Il est bien évident que le Cardinal est intervenu dans le choix de ces précepteurs. Ils feront carrière brillamment l'un et l'autre, et surtout Desmarets, comme deux Julien Sorel qui s'élèvent du préceptorat à la politique et seront tous deux très engagés dans les affaires théâtrales du Cardinal. Faut-il ajouter qu'ils ne s'aimaient guère ?

L'activité théâtrale de d'Aubignac, connu jusque là comme prédicateur, se manifeste à partir de 1640. Il écrit par ordre du Cardinal sa *Pratique du théâtre*. Du moins la parution est alors annoncée comme prochaine, mais il est bien évident que le livre est en chantier depuis longtemps. Comme son nom l'indique, la *Pratique* est une étude des conditions de l'activité théâtrale fondée sur un examen très attentif et très critique. Ouvrage important, qui ne sera publié que beaucoup plus tard (1657), au moment où il ne pouvait plus avoir la même importance. Entre 1640 et 1657 d'Aubignac avait fait quelques ajouts, mais sans modifier rien d'essentiel . La *Pratique* ne pouvait plus avoir alors le même retentissement. C'est en pensant au contexte théâtral de 1640 qu'il faut le lire.

Nous nous étendrons plus longuement sur le *Projet de rétablissement du théâtre français* composé à la même époque et qui accompagne la *Pratique* dans l'édition de 1657. Texte important et qui paraît bien correspondre à la pensée du Cardinal soucieux d'ordre et de réglementation.

Le *Projet* énumère les six maux dont souffre le théâtre français et il propose des remèdes.

Le premier de ces maux est la croyance commune qu'assister à la comédie c'est pécher contre les règles du christianisme et le deuxième que les lois tiennent les comédiens pour infâmes. Mais si les premiers Pères de l'Église ont condamné les chrétiens qui allaient au théâtre, c'est parce qu'ils participaient ainsi à un acte d'idolâtrie. Le théâtre comportait alors bien des impuretés propres au culte de Vénus et de Bacchus. Il est maintenant épuré et devenu un divertissement honnête.

Quant aux comédiens, il y en avait de deux sortes chez les Anciens, de vrais comédiens, traités avec honneur et des mimes et bateleurs jouant ithyphalles et priapées.

En France, la comédie a «commencé par quelque pratique de piété; mais les Basochiens puis les bateleurs publics ont fait que les comédiens sont devenus une troupe de perdus et de débauchés qui attirait les enfants de bonne famille. Et c'est pourquoi les Rois les ont notés d'infamie. »

Le public garde donc un préjugé contre le théâtre «jusqu'à tant qu'il soit aussi par devant le peuple qu'il l'était devant M. le Cardinal de Richelieu.»

Il est donc nécessaire que le Roi fasse une déclaration constatant que le théâtre est un divertissement public, honnête, que les comédiens ne vivent plus dans la débauche et le scandale et qu'en conséquence l'infamie dont ils étaient frappés par les Ordonnances et Arrêts est levée; «avec défense néanmoins de rien dire ni faire sur le théâtre contre les bonnes mœurs, ni de commettre aucune action en leur vie particulière contre l'honnêteté, à peine d'être chassés du théâtre et de retomber dans la première infamie dont ils avaient été notés.»

Dans cette partie du *Projet* on trouve un survol très rapide de l'histoire du théâtre, tant ancien que médiéval, avec des thèmes que développeront les protagonistes de la grande querelle de la moralité du théâtre qui aura son point culminant en 1666 avec Conti et Nicole. Mais on y trouve aussi les attendus de la déclaration royale de 1641. On se demandera même si d'Aubignac n'a pas été le rédacteur ou l'un des rédacteurs de cette déclaration.

Le troisième mal du théâtre, la troisième cause qui arrête le progrès de la comédie, c'est «les défauts des représentations», dus au manque de bons acteurs. Le remède : l'Intendant des théâtres cherchera lui-même les jeunes comédiens dans les Collèges et dans les troupes qui vont dans les provinces et les obligera d'étudier les Représentations aussi bien que les Récits [la diction] et les expressions des sentiments. Ne seront associés dans une troupe que les titulaires d'un «brevet du Roi donné sur un certificat de capacité et probité» délivré par l'Intendant après «épreuve».

La quatrième déficience est que «les mauvais poèmes se représentent indifféremment avec les bons». Voici le remède. Les poètes connus seront «seulement obligés de faire voir leurs pièces à l'Intendant pour en examiner l'honnêteté et la bienséance», et ce sera par ailleurs à leurs risques et périls. Mais pour les nouveaux poètes «leurs pièces seront examinées par le même Intendant et réformées selon ses ordres.» On voit que l'autorité nuancerait : incitation pour les poètes connus; obligation pour les débutants.

Les «mauvais décors» sont la cinquième faiblesse du théâtre français. L'Intendant se chargera de les faire établir aux frais du public, les comédiens n'ayant à leur charge que leurs costumes.

Sixième cause qui empêche le progrès du théâtre, les désordres qui vont contre «la commodité et la sûreté des spectateurs ».

16

Le remède : défense aux pages et laquais d'entrer au théâtre à peine de la vie; interdiction d'y porter des armes; des gardes suisses à l'entrée.

«Pour la commodité des spectateurs, le parterre doit être élevé en talus, et rempli de sièges immobiles [...] ce qui empêchera que les assistants ne s'y battent n'ayant aucun espace pour le faire.» Rappelons que le sol du parterre à l'Hôtel de Bourgogne comme au Marais est plat et que les spectateurs au parterre sont debout.

Enfin il sera construit une salle neuve, à l'antique, dans laquelle les sièges des spectateurs seront distingués «sans que les personnes de condition y soient mêlées avec le menu peuple».

Alentour seront bâties des maisons pour loger gratuitement deux troupes de comédiens nécessaires à la ville de Paris.

De fait une ordonnance du lieutenant civil (19) interdit en 1641 de porter dagues, épées ou pistolets aux pages et laquais, leurs maîtres doivent les désarmer, «particulièrement à l'Hôtel de Bourgogne, Marais du Temple et autres lieux où sont permis les divertissements de la Comédie».

La salle souhaitée par d'Aubignac ressemble beaucoup à celle que Richelieu fait construire au Palais Cardinal et qui sera inaugurée en janvier 1641 pour la représentation de *Mirame*.

Quant aux logements prévus pour les comédiens, ils ne seront jamais construits.

Ces considérations du *Projet de rétablissement* sont sous-tendues par quelques idées qu'expose la *Pratique du théâtre* (20). L'une de ces idées est que le théâtre contribue au prestige international d'un pays et fait oublier les difficultés du pays. Vienne et Paris, «par leurs magnificences, par leurs comédies, par leurs ballets incomparables, par tous leurs divertissements superbes et pompeux se sont efforcés de faire croire à tout le monde que tous les événements de la guerre sont indifférents à leur bonne ou à leur mauvaise fortune.» (21)

L'autre idée, c'est que le théâtre n'est pas seulement un tranquillisant — osera-t-on dire un «Opium du peuple» — mais aussi «une secrète instruction des choses les plus utiles au peuple et les plus difficiles à lui persuader». Il inspire le goût des armes, de la gloire, les «vertus héroïques». Il lui donne «quelque teinture des vertus morales». «Les belles représentations théâtrales sont véritablement l'École des Peuples.» A quoi d'Aubignac ajoute plus modestement que le théâtre occupe les oisifs et leur fait perdre toute pensée de mal faire (22).

TROIS CENSURES

Dans le programme de l'abbé, ce qui pouvait le plus gravement infléchir la création littéraire même, c'est sa proposition d'imposer aux poètes des conseils ou des ordres pour pallier la quatrième déficience du théâtre français. A notre connaissance au moins, trois tentatives ont été faites. La première ,dans l'ordre chronologique au moins,est celle qui a eu le plus grand retentissement.

Il n'est pas question de faire ici l'histoire de la querelle du *Cid* — elle a été faite bien souvent — mais seulement celle de la procédure. Rappelons que la première est du début de janvier 1637. La pièce est achevée d'imprimer le 23 mars et elle est dédiée à la nièce du Cardinal, Madame de Combalet, qui deviendra duchesse d'Aiguillon. Le réquisitoire contre la tragi-comédie, qui remporte au théâtre un triomphe inouï, est établi par Scudéry : ses *Observations sur le Cid* sont publiées vers le 1er avril (23). La *Lettre Apologétique* par quoi Corneille répond est un refus de discuter. Mais Scudéry en appelle à l'Académie, sûr de plaire ainsi à Richelieu qui souhaitait sans doute fortifier l'autorité de l'institution nouvelle et créer un précédent, ce qui allait bien dans le sens de sa politique autoritaire.

Il y avait un obstacle juridique. L'Académie ne pouvait juger, de par ses statuts, que les ouvrages de ses membres ou des auteurs qui le désireraient (24). Corneille n'était pas académicien et il ne demandait pas que *Le Cid* fût jugé. Il fallait obtenir son consentement. Boisrobert s'entremit : les désirs du Cardinal étaient des ordres. Corneille ne put refuser : «Messieurs de l'Académie peuvent faire ce qui leur plaira; puisque vous m'écrivez que Monseigneur serait bien aise d'en voir leur jugement et que cela doit divertir Son Éminence, je n'ai rien à dire», écrivit-il à Boisrobert (25). L'Académie manquait d'enthousiasme, mais le maître employait des arguments irrésistibles pour des gens dont la plupart, sinon tous, étaient ses «pensionnaires» : «enfin il s'en expliqua ouvertement en disant à un de ses domestiques : Faites savoir à ces Messieurs que je le désire et que je les aimerai comme ils m'aimeront . Alors on crut qu'il n'y avait plus moyen de reculer.» (26)

Le résultat des réflexions de Bourzais, Chapelain, Desmarets, élus comme commissaires pour examiner «le corps de l'ouvrage [du *Cid*] en gros» et des examinateurs pour «les vers», Cérisy, Gombauld, Baro et l'Estoile, fut étudié en diverses conférences ordinaires et extraordinaires de l'Académie. Chapelain en fit un «corps qui fut présenté au Cardinal, écrit à la main.»

Richelieu dicta à son médecin-lecteur-secrétaire Cétois quelques apostilles; peut-être en écrivit-il de sa main (27). Il approuva l'ensemble du jugement mais estima qu'il y fallait «jeter quelques poignées de fleurs.» L'Académie remit donc l'ouvrage en chantier, l'examina en diverses assemblées ordinaires et extraordinaires encore et le remit à l'imprimeur. Les premières feuilles furent données au Cardinal qui trouva qu'il y avait trop de fleurs et fit arrêter l'impression. Chapelain et Sirmond furent convoqués, reçus très civilement par le Cardinal en la seule présence de Boisrobert et de Bautru, mais Chapelain dut constater que «cet homme ne voulait pas être contredit; car il le vit s'échauffer et se mettre en action, jusque là que s'adressant à lui, il le prit et le retint tout un temps par ses glands [= l'équivalent de la cravate] comme on fait sans y penser quand on veut parler fortement à quelqu'un et le convaincre dc quelque chose.»

La conclusion de l'entretien fut que le Cardinal expliqua «de quelle façon il fallait écrire cet ouvrage» et il en chargea Sirmond qui avait «le style fort bon».

La rédaction de Sirmond ne le satisfit pas et ce fut Chapelain qui reprit tout l'ouvrage. Le texte de Chapelain plut à l'Académie et au Cardinal. Les travaux avaient duré cinq mois. Vers le 20 décembre 1637, avec la date de 1638 au titre, parurent enfin *Les Sentiments de l'Académie française sur la tragi-comédie du Cid*.

Bien entendu le nom de Richelieu, pas plus qu'aucun autre,

n'apparaissait dans les *Sentiments* œuvre collective. Il faut bien reconnaître que le Cardinal était largement l'inspirateur, voire le co-auteur, avec les Académiciens, de ce premier essai de critique dramatique de notre histoire littéraire. Inspirateur impérieux; mais en pouvait-il être autrement ? Cet homme, même lorsqu'il semblait traiter d'égal à égal, d'auteur à auteur, les écrivains «ne voulait pas être contredit».

En 1640 dès février, la pièce suivante de Corneille est prête. On ne sait pas quand elle a été mise en chantier. Corneille a fait une lecture de sa pièce, *Horace*, chez Boisrobert devant Chapelain, Barreau, Faret, Charpy, l'Estoile, d'Aubignac. D'Aubignac et Charpy seuls n'étaient pas académiciens (28). Ils furent unanimes pour juger la fin «brutale et froide» et c'est ce qu'avait déjà dit Chapelain à Corneille (29).

D'Aubignac proposait d'innocenter le jeune Horace en transformant le meurtre de Camille en suicide : elle s'enferrait sur l'épée de son frère (30). Corneille se rendit d'abord à ces avis puis maintint son dénouement (31), qui était celui de l'Histoire. «Le bruit courut qu'on ferait encore des observations et un jugement sur la pièce.» (32) Cela ne se fit pas. Est-ce parce qu'*Horace* avait plu au Cardinal, et lui est dédié ?

Ainsi avait fonctionné deux fois une procédure de censure très analogue à celle que prévoit le *Projet de rétablissement du théâtre français*.

D'Aubignac garda sur le cœur l'obstination de Corneille à ne pas obtempérer. Un quart de siècle plus tard, il observait que s'il avait existé un Intendant des théâtres, «il ne vous aurait pas permis de faire marier Chimène avec le meurtrier de son père, ni de faire tuer Camille par un héros de nouvelle trempe, son frère». (33)

D'Aubignac savait bien à qui Richelieu eût dû confier la charge d'Intendant des théâtres. Son *Projet de rétablissement du théâtre français* ressemble fort à un acte de candidature.

L'Académie proposait trois dénouements au *Cid* : le Comte, cru mort, survivait à ses blessures; ou bien il se révélait qu'il n'était pas le père de Chimène; ou bien le salut du royaume commandait absolument le mariage. Ainsi aurait-on pu unir décemment les amoureux scandaleux. Le comité très académique à qui avait été présenté *Horace* refusait le meurtre de Camille. La censure poussait le poète dans la direction du conformisme social. Il lui a fallu beaucoup d'obstination pour refuser des conseils derrière lesquels se profilait une autorité suprême très redoutable.

Une troisième pièce a été l'objet d'un jugement dans des conditions un peu différentes, c'est la *Penthée* de Tristan. Il a repris un sujet traité déjà cinq fois depuis 1571 et notamment par Hardy. A l'abbé d'Aubignac, Richelieu avait demandé un jugement : «Sur le commandement que je viens de recevoir de la part de Votre Éminence, de travailler à la *Penthée*, pour donner de la force au quatrième acte et achever la catastrophe [= compléter le dénouement] j'ai rappelé toutes les pensées qui me vinrent hier à l'esprit quand je la vis sur le théâtre dans votre palais.» (34)

Les réflexions de l'abbé sur cette pièce ont été imprimées en 1657 seulement, avec la *Pratique du théâtre* sous le titre «Jugement de la tragédie de *Penthée* écrit sur le champ et envoyé à Monseigneur le Cardinal de Richelieu sur son ordre exprès.»

Si l'on prend à la lettre le début de ce jugement — et comment faire autrement ? — le Cardinal entendait que l'abbé d'Aubignac collaborât avec Tristan à la refonte de la pièce.

C'est bien d'une refonte que *Penthée* a besoin si l'on croit l'Abbé : elle n'est pas «capable d'être mise au nombre des excellentes pièces si on ne la réforme d'un bout à l'autre». Il propose donc, acte par acte, toutes sortes d'améliorations. Comme nous n'avons de *Penthée* que le texte imprimé en 1638 et non le texte joué au théâtre du Marais, à partir duquel d'Aubignac a élaboré sa critique, il est très malaisé de savoir où Tristan a tenu compte des propositions de d'Aubignac.

Il a cependant modifié son dénouement pour satisfaire son critique. La pièce met en scène une dame de grande vertu qui se tue sur le corps de son mari. Dans la version jouée, vue par l'abbé d'Aubignac, la pièce se terminait avec la chute de cette dame qui venait de se poignarder. D'Aubignac a trouvé cette fin abrupte. On peut n'être pas de son avis et trouver cette sobriété éminemment dramatique. Il a regretté aussi que l'amoureux de Penthée demeurât «sans action» après sa mort, et que personne n'exprimât de regret de cette mort. Il aurait voulu que l'amoureux Araspe fit entendre une plainte pathétique, arrachât du corps de Penthée le poignard, «ayant dit quelque chose d'agréable sur le sang qui le colorerait et sur la plaie qu'il aurait faite dans un si beau corps, il s'en tuerait lui-même, comme une victime nécessaire aux mânes de Penthée».

A la vérité, Tristan n'a pas mis dans la bouche de son amoureux des propos agréables sur le sang qui colorait le poignard. Mais l'amoureux intervient au dénouement, prononce une courte oraison funèbre de Penthée, se perce du poignard et se précipite dans la rivière. Ainsi, pour le dénouement au moins, d'Aubignac avait eu satisfaction et ses propositions avaient été retenues.

La pièce est publiée avec un avertissement dans lequel Tristan exprime ses regrets sur l'accident dont a été victime Mondory : une apoplexie qui l'oblige à renoncer au théâtre. Il fait de lui le plus bel éloge : «jamais homme ne parut avec plus d'honneur sur la scène;... il s'y fait voir tout plein de la grandeur des passions qu'il représente [...]. Les changements de son visage semblent venir des mouvements de son cœur.» Sa disparition de la scène découragerait Tristan d'écrire, n'était que «Monseigneur le Cardinal se délasse parfois en l'honnête divertissement de la comédie, et que son Éminence me fait l'honneur de me gratifier de ses bienfaits».

Ainsi sont associés le Cardinal et le grand acteur, rénovateurs chacun en son domaine du théâtre français.

RECHERCHE EN PATERNITÉ LITTÉRAIRE ET DÉSAVEU DE PATERNITÉ : CRÉATION, COLLABORATION, SECRÉTARIAT

Avant de voir comment s'est développée au fil des ans l'œuvre théâtrale de Richelieu, ou inspirée par lui, il faut aborder un problème qui est en somme de paternité littéraire.

Aussi bien pour ses *Mémoires* que pour son *Testament politique*, il ne faut pas imaginer Richelieu dans la solitude de son cabinet écrivant, corrigeant, raturant, mais bien plutôt dictant à ses secrétaires (35). Il en va probablement de même pour son œuvre religieuse. Cela ne l'empêchait pas de considérer ces textes comme étant bien son œuvre, même s'il avait seulement dicté un canevas à développer et à mettre en forme. Où s'arrête la création personnelle, où commence la collaboration, ou le travail d'un secrétariat, ce n'est pas facile à déterminer. La paternité de l'œuvre revient au patron qui utilise son secrétariat comme un instrument et le considère comme tel, même s'il lui concède une large initiative.

L'annonce de paternité est encore un autre problème. Une personne de qualité, et à plus forte raison un homme politique éminent, considère alors qu'il ne serait pas de sa dignité de se présenter comme auteur d'œuvres frivoles, romans, pièces de théâtre. Un Richelieu peut faire paraître sous son nom l'*Instruction du chrétien*, il ne peut pas avouer *La Comédie des Tuileries*. Mme de La Fayette n'a pas publié, ou laissé publier sous son nom *La Princesse de Clèves* et niait y avoir aucune part. Les éditions parues de son vivant des *Maximes* de La Rochefoucauld ne portaient pas son nom. Les convenances imposaient la non reconnaissance, voire le désaveu de paternité.

Pour le théâtre, la recherche en paternité est compliquée par d'autres considérations. On distingue deux temps dans l'élaboration. Le premier temps est celui de l'«invention» ou du «dessein», c'est-à-dire la recherche du sujet, suivi de la «disposition», c'est-à-dire de l'ajustement des incidents, de la construction de la pièce.

Le deuxième temps est celui de l'écriture.

Les écrivains de théâtre du XVIIe siècle considèrent que ce deuxième temps est la partie facile du travail. Témoin Racine : «quand il entreprenait une tragédie, il disposait chaque acte en prose. Quand il avait ainsi lié toutes les scènes entre elles, il disait : Ma tragédie est faite, comptant le reste pour rien.» (36) Telle était aussi très certainement la pensée de Corneille. Cela ressort des *Discours* et plus encore de leur silence. Il vient de composer les trois *Discours* Du poème dramatique, De la tragédie, Des trois unités. «Je crois après cela qu'il n'y aura plus guère de question d'importance à remuer et que ce qui reste n'est que la broderie qu'y peuvent ajouter la rhétorique, la morale et la politique.» (37) Ainsi, dans ce quatrième Discours, qui n'a pas été écrit, en tout cas pas conservé, la versification, dont Corneille ne parle pas, n'aurait eu de place que comme une «broderie» dans un recoin de la rhéthorique.

Partie facile du travail, l'écriture de la pièce est aussi la partie rapide. «Rodogune lui avait extrêmement coûté. Il fut plus d'un an à disposer le sujet.» (38) Mais si l'«invention» et la «disposition» sont facilitées parce qu'il suit de près un devancier, l'écriture est rapide. *Œdipe* est «un ouvrage de deux mois», dit-il dans l'avis au lecteur.

Le difficile et le méritoire, quand on écrit une pièce de théâtre, c'est, pour les gens du XVIIe siècle au moins, «inventer» un sujet et le «disposer», monter une mécanique qui fonctionne bien grâce au jeu des passions et des intérêts.

On voit les conséquences. D'abord que la tragédie peut fort bien être en prose; de bons esprits disent même qu'elle devrait être en prose, et ces bons esprits ne sont pas les premiers venus : Chapelain, d'Aubignac, Scudéry font partie de l'entourage littéraire du Cardinal. De fait un nombre non négligeable de tragédies en prose a été représenté à cette époque (39).

La deuxième conséquence est que l'auteur de l'«invention» et de la «disposition» n'est pas nécessairement l'auteur de la versification. Prenons deux exemples diversement illustres.

D'Aubignac récapitule en 1663 sa carrière de conseiller théâtral.

«On m'a montré plusieurs [poèmes dramatiques] dont j'ai dit mes sentiments qui n'ont pas été suivis.» — Rappelons que ç'a été le cas d'*Horace*.

«J'ai donné l'ouverture [= la première idée] (40) de quelques sujets que l'on a fort mal disposés . J'ai d'autres fois fait en prose jusqu'à deux ou trois actes; mais l'impatience des poètes ne pouvant souffrir que j'y misse la dernière main, et se présumant assez forts pour achever sans mon secours, y a tout gâté. J'en ai même donné trois en prose à feu M. le Cardinal de Richelieu, qui les fit mettre en vers, mais les poètes en changèrent tellement l'économie qu'ils n'étaient plus reconnaissables. Enfin *Zénobie* est la seule pièce dont j'ai été le maître, au sujet, en la conduite et au discours.» (41)

Pour deux des tragédies de l'abbé, il existe deux versions : l'une en prose est totalement de lui, l'autre versifiée par un autre écrivain que lui. De *Cyminde*, nous savons qu'elle a été mise en vers par Colletet (42). Pour *La Pucelle d'Orléans* nous ignorons le nom du versificateur. Voici donc quelqu'un qui a écrit environ mille cinq cents vers — c'est la taille ordinaire d'une tragédie — et qui accepte de rester dans l'anonymat. Rien n'établit mieux que cet anonymat la hiérarchie entre «invention» et «disposition» ou encore «sujet» et «conduite» d'une part et d'autre part les «vers» ou le «discours».

Un second exemple, plus illustre encore. Molière a mis en chantier une *Psyché*. Pour satisfaire aux ordres du Roi, pressé par le temps, il demande à Corneille son aide. L'éditeur prévient le lecteur : «M. de Molière a dressé le plan de la pièce et réglé la disposition [...]. Il n'y a que le Prologue, le premier acte, la première scène du second et la première du troisième dont les vers soient de lui. M. Corneille a employé une quinzaine au reste.» Ce «reste» c'est quatre actes moins deux scènes, quelque chose comme mille trois cents vers, si j'ai bien compté. La pièce paraît sous le nom de Molière, figure dans ses œuvres. Les gens du XVIIe siècle n'auraient pas compris que nos éditions modernes la fissent paraître aussi dans un théâtre de Corneille. De fait, si je ne m'abuse *Psyché* prend place dans le théâtre cornélien pour la première fois avec l'édition Marty-Laveaux, en 1862 : les idées sur les rapports entre «invention» et «vers» avaient changé.

C'est de quoi s'interroger sur l'idée de paternité littéraire, qui va se poser à propos des pièces du Cardinal. Dirons-nous que ces pièces ont plusieurs pères ? Pour les gens du XVIIe siècle ces pères en tout cas ne sont point à égalité. Le vrai père est l'auteur de l'invention, de la disposition. L'auteur ou les auteurs des vers viennent bien loin derrière lui. Ils sont des techniciens du vers, ils ont le mérite de traducteurs, sans plus; l'on n'attend pas d'eux des initiatives mais de l'obéissance. Osons dire qu'ils sont les ouvriers spécialisés de la mise en vers; ouvriers bien payés et à qui outre leur salaire peuvent être attribuées des primes (43). Ouvriers néanmoins. C'est peut-être son trop d'initiative qui fait que Corneille a abandonné ou a été exclu des Cinq auteurs (44).

Ajoutons une réflexion. Autour du tout puissant ministre fleurit la flatterie. On sait qu'en affichant le goût du théâtre on fait bien sa cour. Il suffit sans doute qu'il parle d'un sujet possible, émette quelque réflexion sur le canevas qu'on lui propose, suggère une modification pour qu'on dise qu'il est le vrai, le seul auteur de la pièce.

Il faut garder le souvenir de toutes ces réflexions de caractère méthodologique ou éthique sur la création théâtrale pour apprécier la part de Richelieu à *La Comédie des Tuileries* ou à *L'Aveugle de Smyrne*.

Il faut aussi se rappeler que la versification théâtrale n'est pas d'une très grande originalité ni d'une très grande difficulté, au moins lorsque ne sont pas recherchés le style sentencieux ou les morceaux de bravoure. Il faut faire l'expérience de masquer dans une page le texte en ne laissant apparaître que les rimes : on verra apparaître avec obstination des couples de rimes : «armes, alarmes»; «batailles, murailles». De quoi comprendre la rapidité d'écriture lorsque le temps presse.

Le Cardinal «ne faisait que des tirades pour des pièces de théâtre, mais quand il travaillait, il ne donnait audience à personne.» (45) Je ne suis pas sûr que nous puissions distinguer parmi les autres les tirades cardinalices. Mais, à étudier les pièces à quoi il aurait mis la main, dont il aurait au moins donné l'idée, on doit aboutir à quelque chose de plus important que des attributions de vers, à déterminer mieux l'influence du Cardinal dans l'histoire de notre théâtre à un moment important et l'histoire de notre théâtre est alors surtout une partie très importante de l'histoire de notre culture.

A LA RECHERCHE DES CINQ AUTEURS

1635. *La Comédie des Tuileries*

La première pièce dont la chronologie nous amène à nous occuper est aussi celle où se voit le mieux l'organisation complexe d'un travail de création collectif mais très hiérarchisé.

La première mention de ce qui sera *La Comédie des Tuileries* est dans une lettre mal datée de Chapelain (fin 1634 ou début 1635) (46). Il a reçu «un original» de Richelieu avec ordre de dire que ces «pensées» sont de lui, Chapelain. Mais en voyant «leur extrême force», qui croira que ces «extraordinaires merveilles» sont de lui ? on pensera qu'il s'est fait en lui «un miracle». Et puis Chapelain a scrupule à voler sa gloire au Cardinal. Son entourage n'a jamais ménagé au Cardinal l'encens, pas plus que ses ennemis l'insulte. Chapelain renvoie à Boisrobert «son original [du Cardinal] et la copie qu'il a désiré que j'en fisse pour en disposer comme vos ordres le portent.»

Le 24 janvier 1635, Chapelain écrit de nouveau à Boisrobert. «Il sera de votre prudence d'observer le temps le plus propre pour lui [à Richelieu] faire voir notre ouvrage, lequel j'appelle nôtre puisque vous y avez la meilleure part et que je n'ai que suivi ce que vous avez commencé, comme Monseigneur le reconnaîtra bien, s'il veut vous donner le loisir de lui lire la transcription que j'en ai faite pour recevoir humblement ses corrections.» (47). On voit que Boisrobert faisait plus que transmettre les instructions du maître; il avait pris part à l'élaboration du canevas de la pièce, à la «disposition.»

On voit aussi la méthode de travail, celle qui sera employée pour *Les Sentiments de l'Académie sur le Cid* : le texte est lu au Cardinal et ses observations sont inscrites sur cette copie.

Au «dessein» de cette «comédie d'apparat», Chapelain a travaillé avec une telle «contention d'esprit» qu'il est tombé malade et a dû s'aliter. Mais il a tâche, «par un effort de l'art, de donner un essai de la parfaite comédie, en sorte que la sévérité des règles n'y ruinât point l'agrément, que l'invention et la disposition y fussent exquises et nouvelles, que le nœud et le dénouement en fussent nobles, que les mœurs et les passions y eussent leur place et que le plaisir n'y servît que de passage au profit et à l'instruction».

Chapelain a voulu, dit-il, servir et divertir le Cardinal, mais aussi montrer aux Italiens, «qui nous traitent» de barbares, de quoi la France est capable.

Voyons donc «de quoi la France était capable». Un gentilhomme de province est venu à Paris où un oncle, qui lui sert de père, entend le marier. Il se nomme Aglante; elle se nomme Cléonice. Ils ne se sont jamais vus. Aglante rencontre au temple, comprenons à l'église, une dame pour qui il éprouve un irrésistible coup de foudre.

Il change de nom pour le courtiser et se fait appeler Philène. Il s'enquiert de la belle qu'il aime. Mais elle aussi l'aime, et elle aussi change de nom : elle se fait appeler Mégate. Tous deux se promettent de ne pas accepter le mariage qui avait été ménagé pour eux, sans eux.

Surviennent les complications, qui font l'épreuve de la constance des deux amants, qui se lamentent sur la tyrannie de l'amour et la tyrannie des parents; mais qui entendent bien rester fidèles l'un à l'autre.

«Nous aurons pour nous joindre ou l'hymen ou la mort».

L'acte IV est celui des suicides et des sauvetages. L'amante se jette dans le «carré d'eau», c'est-à-dire le bassin des Tuileries; on l'en retire. L'amant se jette dans la fosse aux lions et ces animaux d'ordinaire très féroces refusent de le toucher.

L'acte V est celui des éclaircissements. Philène est en réalité Aglante; Mégate est en réalité Cléonice. Les deux amants révoltés contre la tyrannie des parents et du sort sont en vérité les deux fiancés qui ne se connaissaient pas. On les marie et on marie aussi les confidents.

Le Prologue évoque les Tuileries en des vers qui ne manquent pas de fraîcheur, les arbres, les bassins, un bois d'oranger, l'antre des bêtes, la volière, une longue terrasse et le pavillon où loge Mademoiselle. Ce prologue, mis en vers par Colletet (48), pourrait bien être le meilleur de la pièce.

Telle est l'intrigue due aux efforts conjugués d'un cardinal, d'un chanoine et d'un critique littéraire d'importance et ce sont bien des événements pour une seule journée.

Une première représentation eut lieu en février (49). Chapelain a été laissé dans le «ravissement» par les «merveilles» de la comédie de Monseigneur, et par «les singulières faveurs» qu'il a reçues de sa bonté «devant,durant et après la représentation de cette excellente pièce.»

Une ombre au tableau seulement : tant que le Cardinal défendra qu'on dise publiquement qu'il est l'auteur de la *Comédie des Tuileries*, Chapelain aura honte de s'entendre louer pour le travail du Cardinal. Il fait quelque chose de pire que les ennemis du Cardinal qui s'en prennent à sa réputation «mais au moins ne s'attri-

buent pas les miracles qu'il a faits». Une page tout entière brode
sur ce thème.

Nous ne sommes pas tenus de prendre au pied de la lettre un
enthousiasme reconnaissant dont Chapelain sait bien que le Cardinal sera informé; il reste que la part du Cardinal à la comédie,
«l'invention» est bien considérée comme la partie la plus méritoire de l'ouvrage. «L'inventeur» est le vrai père de la Comédie.

La *Gazette* de Renaudot signale le 10 mars 1635 la représentation donnée le 4 mars à l'Arsenal devant Anne d'Autriche. Le
journaliste ne sait pas encore le nom de la pièce mais parle de la
«bonté des acteurs et de la majesté des vers composés par les cinq
fameux poètes.» Le nom des poètes n'est pas indiqué.

Une autre représentation eut lieu «en l'Hôtel de Son Éminence» le 16 avril devant le Roi, la Reine, et Monsieur.

Il n'est pas sûr que nous connaissions toutes les représentations.

Un prologue en prose, qui n'a pas été conservé, attribuait
l'invention du sujet à Chapelain «qui pourtant n'avait fait que
le réformer en quelques endroits; mais le Cardinal le fit prier
de lui prêter son nom en cette occasion, ajoutant qu'il lui prêterait sa bourse en quelque autre.» Le Prologue donnait aussi
les noms des «cinq fameux poètes». «Ces Messieurs avaient un
banc à part en un des plus commodes endroits.» (50)

Lorsque la pièce sera éditée − le privilège est du 28 mai
1638, et l'achevé d'imprimer du 19 juin 1638 − l'académicien
Baudoin, qui a été chargé de l'édition, ne nommera pas davantage les cinq auteurs. Il se tirera d'affaire par une «pointe», un jeu
de mots : «elle a été faite par cinq différents auteurs qui pour
n'être pas nommés n'en ont pas moins beaucoup de nom.»

Les noms ont été imprimés pour la première fois en 1653
par Pellisson dans sa *Relation* : «Il [Le Cardinal] faisait composer les vers de ces pièces qu'on nommait alors les Pièces des cinq
Auteurs par cinq personnes différentes, distribuant à chacun un
acte et achevant par ce moyen une comédie en un mois. Ces cinq
personnes étaient MM. de Boisrobert, Corneille, Colletet, de
l'Estoile et Rotrou (51) auxquels, outre la pension ordinaire
qu'il leur donnait, il faisait quelques libéralités considérables,

quand ils avaient réussi à son gré.»
Du montant de ces pensions, nous ne savons rien (52).

En mai 1635, le roi de France déclare la guerre à l'Espagne, puis l'Empereur déclare la guerre à la France. Les choses
vont d'abord très mal. Sur le front des Pyrénées, les Espagnols
entrent dans le royaume, occupent Hendaye, St-Jean-de-Luz,
menacent Bayonne. Mais c'est en Picardie que la situation est
la plus grave. Richelieu reconnaît dans ses *Mémoires* que «le
bruit de l'arrivée des ennemis en Picardie armée et forte en ca-
valerie avait surpris et étonné les Parisiens; mais l'étonnement
fut bien plus grand quand ils virent en si peu de jours Le Caste-
let et La Capelle emportés. L'effroi fut si grand dans la ville que
le Roi fut contraint de venir les rassurer».
Une opposition se manifestait : «beaucoup de personnes
et de condition, soit qu'ils fussent malintentionnés, intéressés ou
abusés, pestaient contre le Roi et le Gouvernement et les principaux d'entre eux étaient le Parlement.» Quelques parlementai-
res sont donc bannis à Amboise ou à Angers.
L'opposition devient plus vive quand l'ennemi a franchi la
frontière : «Le feu de leur mauvaise volonté se ralluma à la vue
des ennemis entrant en France [...]. Ils commençaient à faire de
nouvelles assemblées». Il est question de nommer une commis-
sion de dix conseillers qui siègeront à l'Hôtel de Ville et pour-
voiront à la sûreté de la capitale. On voit que dès 1635, le Parlement avait inventé le «Comité de Salut public».Le Roi les tance
rudement : «Ce n'était pas à eux de se mêler des affaires de son
État.» (11 août 1636).
Un véritable exode vide Paris : «étrange consternation dans
Paris. Tout y fuyait et on ne voyait que carrosses, coches et che-
vaux sur les chemins d'Orléans et de Chartres» (53). «Le démeu-
blement est universel à Paris et à trois lieues près [...] il semble
que nous ne soyons pas capables de résister.» (54) Tallemant des
Réaux regrette que le Roi n'ait pas puni ceux qui fuyaient si
«vilainement» et La Bruyère, au bout d'un demi-siècle se rappelait
encore cette grande panique.
Des mesures exceptionnelles sont prises : levées de troupe,
réquisitions. Les Corps de métier viennent offrir leurs vies et

30

leurs biens pour chasser les ennemis. Le Roi les embrassa tous, sans excepter les jurés du corps des savetiers, «tant l'adversité humilie les hommes et même les plus grands rois» dit Monglat.

Le pire moment est quand tombe la place de Corbie, en août, après une défense jugée trop courte et trop molle. On crie à la trahison et dans son *Testament politique* Richelieu flétrit la «lâcheté» des gouverneurs de La Capelle, Le Catelet, Corbie; ils sont condamnés par coutumace à une mort infâmante et exécutés en effigie.

Si on ajoute à ce tableau des années 1635-1636 les très inquiétantes révoltes paysannes; les difficultés que créent Monsieur et le Comte de Soissons qui quittent l'armée pour se retirer l'un à Blois et l'autre à Sedan; le fait que l'opinion est défavorable à l'alliance avec des princes protestants, à la guerre avec l'Espagne et qu'il existe un véritable parti pro-espagnol, on comprend que Richelieu n'ait guère pu ni voulu s'intéresser au théâtre. Ces jeux, et ces dépenses auraient été alors particulièrement impopulaires.

C'est à ce moment d'ailleurs, à la fin de 1636 selon Tallemant, qu'est écrit un pamphlet très violent contre le Cardinal et qui l'ulcéra plus qu'aucun des nombreux libelles contre lui. C'est la *Milliade*, ainsi appelé parce qu'il comporte mille vers. «Il fit emprisonner bien des gens pour cela, mais il n'en put rien découvrir. Il me souvient qu'on fermait la porte sur soi pour le lire. Ce tyran était furieusement redouté.» (55)

Le goût du Cardinal pour le théâtre est attaqué avec violence.

«Ce protecteur des bouffons,
Ce grand Mécénasdes fripons [...]
Ce charlatan sur son théâtre
Croit voir tout le monde idolâtre
De ses discours, de ses leçons,
De ses pièces, de ses chansons.
On souffrirait ses comédies
Quoique faibles et peu hardies
Si des tragiques mouvements
N'en troublaient les contentements,
S'il n'avait affaibli la France. [...]
Lorsqu'il doit penser aux combats
Il prend ses comiques ébats,

Et pour ouvrage se propose
Quelque poème pour Bellerose (56).
Il décrit de fausses douleurs
Quand l'État sent de vrais malheurs.
Il trace une pièce nouvelle
Quand on emporte La Capelle (57).
Et consulte encore Boisrobert
Quand une province se perd.»

La peur avait été grande à Paris, qui était en état de siège, et reprochait au Cardinal d'avoir fait détruire murailles et remparts; on montait la garde aux portes et les ponts sur l'Oise avaient été coupés. Mais l'armée espagnole était essoufflée, elle ne poursuivit pas sa poussée sur la capitale. Une armée française levée à la hâte va investir Corbie (29 septembre 1636). Le siège est long. Enfin le 10 novembre les Espagnols capitulent.

Voiture écrit une lettre *A Monsieur* *** *après que la ville de Corbie eut été reprise sur les Espagnols par l'armée du Roi.* Il rappelle l'importance de cette place sur laquelle «toute la chrétienté avait les yeux» et défend la conduite si contestée de Richelieu. Au même moment les Impériaux lèvent le siège de Saint Jean de Losne qui s'était admirablement défendu.

La lettre de Voiture se terminait sur la promesse que Richelieu, libéré des soucis de la guerre, «ne s'occuperait désormais qu'à établir le repos, la richesse et l'abondance.» La promesse était imprudente. Une phrase est remarquable : «alors les bourgeois de Paris seront ses gardes et il connaîtra combien il est plus doux d'entendre ses louanges dans la bouche des peuples que dans celle des poètes.» C'est avouer que les louanges que versaient sur le Cardinal en abondance les gens de lettres, et par exemple dans *Le Sacrifice des Muses*, étaient moins le reflet de l'opinion publique que le résultat des pensions aux écrivains.

Dans un Paris rassuré, où l'on a cessé de monter la garde, le théâtre devient de nouveau possible. Deux pièces sont jouées à quelques semaines d'intervalle. Il s'agit pour le Cardinal de revenir à une distraction qu'il aime; mais sans doute de faire savoir que le danger est écarté, qu'il a l'esprit libre et tient la situation en mains. Ces deux pièces sont *La Grande Pastorale* et *l'Aveugle de Smyrne*.

— *La Grande Pastorale*

La Grande Pastorale est jouée le 8 janvier 1637 devant le Roi et la Reine à l'Hôtel de Richelieu (58). Représentation fastueuse «aux changements variés et admirables» de scène. Le nonce assistait à la représentation que suivit une somptueuse collation (59). Gui Patin observe que «cette profusion se faisait chez ce grand ministre tandis que presque tout le monde mourait de faim en France» et il ajoute que la fête a coûté 100.000 écus (60).

Sur l'«invention» et la «disposition» de la pièce, nous ne savons rien. Sans doute a-t-elle été élaborée dans les mêmes conditions que *La Comédie des Tuileries* ou dans des conditions analogues.

L'équipe de versificateurs avait été modifiée. Mairet en faisait partie; mais on aurait trouvé l'acte qui lui fut donné si pauvrement écrit que trois membres de l'Académie Française nommés pour le corriger n'en conservèrent que vingt-cinq vers. (61)

D'autre part le Cardinal avait pris part lui-même à la versification. Dans *La Grande Pastorale* «il y avait jusqu'à cinq cents vers de sa façon». Le Cardinal voulut qu'avant la publication Chapelain fit des observations sur ces vers. «Ces observations lui furent apportées par M. de Boisrobert, et bien qu'elles fussent écrites avec beaucoup de discrétion et de respect, elles le choquèrent et le piquèrent tellement [...] que sans achever de les lire, il les mit en pièces [...]». Après quoi, «la nuit suivante comme il était au lit et que tout dormait chez lui», il fait recoller les morceaux et «après avoir lu d'un bout à l'autre et fait grande réflexion, il envoya éveiller M. de Boisrobert pour lui dire qu'il voyait bien que MM. de l'Académie s'entendaient mieux que lui en ces matières et qu'il ne fallait plus parler de cette impression.» (62)

De fait *La Grande Pastorale* ne fut pas imprimée et le manuscrit en est perdu.

— *L'Aveugle de Smyrne*, tragi-comédie par les Cinq auteurs, 1637

«Le soir [du 22 février 1637] fut représentée dans l'Hôtel de Richelieu la comédie de *L'Aveugle de Smyrne* par les deux troupes de comédiens en présence du Roi, de la Reine, de Monsieur, de

Mademoiselle sa fille, du prince de Conti, du duc d'Enghien son fils, du duc Bernard de Saxe-Weimar, du maréchal de La Force et de plusieurs autres seigneurs et dames de grande condition». La *Gazette* annonce ainsi la première.

Le trois mai, chez Son Éminence, nouvelle représentation de la comédie de *l'Aveugle* «réformée» avec cependant la même diversité de scènes que la première fois (63).

Y a-t-il eu d'autres représentations entre ces deux-là, c'est probable, mais nous n'avons pas de documents. Et pas davantage de documents qui disent pourquoi et comment la pièce avait été «réformée».

La complexité de l'intrigue, le caractère surprenant des incidents sont la règle de la tragi-comédie et celle-ci est effectivement riche en incidents. Un prologue resté manuscrit (64) avertit le lecteur : «Cette pièce, Messieurs, mérite une attention extraordinaire parce que la perte d'une des conceptions dont elle est remplie est capable d'empêcher l'intelligence des autres.»

Au centre, un couple d'amants que séparent des quiproquos, des voix contrefaites, de fausses lettres. Interviennent aussi des jalousies, l'obstination d'un père, les tentatives d'une mère pour substituer l'une de ses filles à l'autre, un oracle, un mage. Il s'y trouve aussi une curieuse thérapeutique de l'amour : pour guérir son fils d'un amour qu'il réprouve, un père demande à un magicien une poudre qui le rendra aveugle, étant entendu que l'eau pure du temple de Diane constitue l'antidote. En vérité l'antidote n'agit pas, mais les larmes de l'amante guériront l'un des yeux de l'amant, et ses baisers guériront l'autre. On les marie. Un autre couple pouvait être formé, avec l'autre jeune fille et un rival : ainsi finissait volontiers les comédies, celles de Corneille par exemple, et aussi *La Comédie des Tuileries*. Dans *L'Aveugle de Smyrne* on ne marie pas le second couple : la jeune fille devient prêtresse de Diane et le rival entre aussi en religion. Cette Smyrne antique traite ses enfants en surnombre comme le fait la France de Louis XIII.

Les plaintes des amants, des éléments de pastorale aussi apportent à la pièce émotion et fraîcheur. Manifestement le goût de Richelieu était dans la moyenne du goût de ses contemporains.

Sur les conditions dans lesquelles la pièce a été composée, nous ne savons rien. La pièce est dite des Cinq Auteurs, il faudra préciser.

La Comédie des Tuileries et *L'Aveugle de Smyrne* sont publiées en vertu du même privilège accordé au libraire Courbi le 28 mai 1638. Elles le sont simultanément : *l'Aveugle* est achevé d'imprimer le 17 juin, *La Comédie des Tuileries* le 19.

C'est un académicien encore qui a procuré l'édition, Baudoin (65). Les deux pièces sont dédiées à des personnages officiels, mais pas de tout premier plan (66).

Pour la dernière fois sont mentionnés les Cinq Auteurs, mais on a la surprise de trouver dans l'avis au lecteur de *L'Aveugle de Smyrne*, qui est de Baudoin, cette phrase : «Vous pourrez juger de ce que vaut cet ouvrage soit par l'excellence de la matière, soit par la forme que lui ont donnée quatre célèbres esprits.» Ce passage de «Cinq auteurs» à «quatre célèbres esprits» n'a pas reçu d'explication pleinement satisfaisante. Sans doute faut-il songer à une défection, probablement celle de Corneille (67).

Le Cardinal a-t-il été rebuté par les difficultés d'une collaboration organisée comme elle l'avait été ? Peut-être. Désormais lorsqu'il aura une idée pour une pièce de théâtre, il s'adressera à Desmarets.

DESMARETS, *MIRAME*, TRAGI-COMÉDIE
EUROPE, COMÉDIE HÉROIQUE

Desmarets (1595-1676) est le précepteur du petit-neveu du Cardinal, Armand de Vignerot (1629-1715) en qui il voyait son véritable héritier puisqu'il lui fait reprendre son nom et ses armes. Desmarets restera attaché à son élève et mourra dans sa maison : il était alors son intendant.

Richelieu aimait cet «esprit universel et plein d'invention» (68). Il lui fera faire carrière dans des charges importantes : contrôleur général de l'extraordinaire des guerres, secrétaire général des galères, secrétaire général de la marine du Levant.

Desmarets est des premiers académiciens, chancelier de l'Académie pendant les quatre premières années; pendant un certain temps l'Académie se réunit chez lui. Il est des commissaires qui doivent examiner *Le Cid* et les *Observations* de Scudéry; c'est lui qui mettra la dernière main à l'étude des vers du *Cid*.

Le Cardinal l'emploie encore à mettre au point les œuvres qu'il publie, sa harangue au Parlement (18 janvier 1634), ses œuvres religieuses : son *Catéchisme*, sa *Perfection du chrétien* (69); il est certainement un des hommes pour qui Richelieu avait le plus de considération, son plus proche collaborateur peut-être. Desmarets a évoqué cette faveur exceptionnelle dans une page qui fait songer à Saint-Simon.

«Imagine-toi quelqu'un de ceux qui sont dans l'étroite familiarité de l'homme le plus absolu d'un royaume sous l'autorité d'un roi. S'il arrive dans l'antichambre de ce puissant homme, tous les grands de l'État qui l'attendaient en ce lieu-là le reçoivent avec des caresses excessives et s'estiment bienheureux s'il daigne leur parler un moment [...]. Considère ensuite quel est son plaisir et sa gloire quand on vient l'appeler de la part de ce puissant homme, parmi tant de grands qui envient la fortune dont il va jouir d'aller converser familièrement avec celui dont pour toute gloire ils n'espèrent qu'un regard quand il sortira de sa chambre. Il est certain que celui-là se sent élever dans un plaisir admirable, passant parmi tant de grands, comme triomphant de toutes leurs jalousies et de la rage de ses envieux. [...] Imagine-toi encore les joies qu'il ressent quand ce puissant homme le reçoit avec un regard aimable et quand il converse librement avec lui [...]. Considère encore que quand cet homme sort de la chambre, il croit être tout resplendissant de lumières dont il lui semble que cette présence si adorée l'a revêtu et que quand il repasse au milieu de tant de Grands, qui renouvellent leur envie pour son bonheur, c'est encore un autre triomphe qu'il goûte et qui est bien savoureux.» (70)

Desmarets s'est représenté dans ses moments d'intimité avec le Cardinal : «L'infatigable force du génie de ce grand homme ne pouvait se délasser d'un travail d'esprit que dans un autre. Aussitôt qu'il avait employé quelques heures à résoudre toutes les affaires de l'État, il se renfermait souvent avec quelque savant théo-

logien pour traiter avec lui des plus hautes questions de religion
[...]. Après cela d'ordinaire il me faisait entrer seul avec lui, pour
se divertir sur des matières plus gaies et plus délicates où il prenait des plaisirs merveilleux. Car ayant reconnu en moi quelque
peu de facilité à produire sur le champ des pensées, il m'avouait
que son plus grand plaisir était lorsque dans notre conversation
il enchérissait de pensées par dessus les miennes.» (71)

Desmarets était déjà romancier; et romancier à succès avec
une *Ariane* plusieurs fois rééditée et que La Fontaine lisait encore (72). Il avait en chantier un poème épique *Clovis ou la France
chrétienne* (73).

Dans sa passion du théâtre, Richelieu orientait vers lui tous
les beaux esprits, même ceux qui n'y étaient pas portés naturellement. «S'il connaissait un bel esprit qui ne se portât pas par sa
propre inclination à travailler en ce genre, il l'engageait insensiblement par toutes sortes de soins et de caresses. Ainsi voyant
que M. Desmarets en était très éloigné, il le pria d'inventer au
moins un sujet de comédie qu'il voulait donner à quelque autre,
disait-il, pour le mettre en vers. M. Desmarets lui en porta quatre
bientôt après. Celui d'*Aspasie* qui était l'un lui plut infiniment;
mais après lui avoir donné mille louanges, il ajouta que celui-là
seul qui avait été capable de l'inventer, serait capable de le traiter
dignement et obligea M. Desmarets de l'entreprendre lui-même
quelque chose qu'il pût alléguer.» (74)

La première pièce de Desmarets, auteur de théâtre malgré lui, fut donc *Aspasie*. Nous ne nous attarderons pas sur *Aspasie* à quoi le Cardinal n'a pris aucune part, à notre connaissance,
sinon encourager son auteur.

La pièce la plus connue de Desmarets est *Les Visionnaires*,
qui eut un succès très vif et très durable. Cette comédie fut jouée
au début de 1637 au Marais. C'est un défilé de maniaques et
d'originaux, dont un poète extravagant, une femme amoureuse
de la Comédie, une autre qui est éprise d'Alexandre le Conqué-
rant, etc... Cette structure de la pièce, un défilé d'extravagants,
sera reprise par Molière dans ses *Fâcheux*. Pièce à clef selon toute
vraisemblance. Si l'on veut croire un témoignage tardif, celui de
Segrais (75), Richelieu aurait donné le dessein à Desmarets qui
l'aurait exécuté. Si l'on croit le *Menagiana* (76), le dessein serait
d'un autre familier du Cardinal, Bautra. On croirait assez volon-

Frontispice de l'édition d'*Europe*
(à Paris, chez Henry Legras, 1643, in-4º).

tiers que le Cardinal lui-même peut-être, d'autres familiers du Cardinal aussi ont rivalisé d'esprit railleur et proposé à Desmarets leurs idées (77).

Si le Cardinal est pour quelque chose dans les autres pièces de Desmarets, nous ne le savons pas; cela n'apparaît pas et nous les laisserons de côté, mais son intervention pour *Mirame* et *Europe* est certaine. Il s'y est exprimé bien plus que dans *La Comédie des Tuileries* ou *L'Aveugle de Smyrne* qui n'étaient qu'amusement.

Europe est prête dès 1638.

La pièce ne sera pourtant jouée qu'en 1642. Nous verrons pourquoi (voir plus loin, p. 55).

— *Mirame*, **tragi-comédie**

Mirame est prête dès 1639. La pièce ne sera pourtant jouée que le 14 janvier 1641; mais avec un faste et dans des conditions très exceptionnelles que reflète le titre lorsqu'elle est imprimée : *Ouverture du théâtre de la grande salle du Palais-Cardinal - Mirame, tragi-comédie.*

Le Cardinal fête un double triomphe : l'inauguration de la grande salle de théâtre et le mariage de sa nièce.

La maison de campagne du Cardinal à Rueil comportait une salle dont nous ne savons rien. Le Palais-Cardinal avait aussi une salle, qu'on dit de six cents places. La nouvelle salle pouvait accueillir trois mille spectateurs, a-t-on dit. Ce chiffre paraît excessif. L'architecte était Le Mercier, l'architecte de la Sorbonne. Salle moderne, correspondant au vœu exprimé par l'abbé d'Aubignac, avec des gradins sur quoi étaient posées des formes [des bancs ?] de bois; «le théâtre de France le plus commode et le plus royal» qui entendait rivaliser avec les théâtres italiens (79).

Théâtre qui va très bien avec le faste dont le Cardinal s'entoure et dont il faut lire le détail dans l'histoire de Louix XIII du P. Griffet (80). Un Palais-Cardinal splendide, avec une salle de théâtre digne de lui, est un élément dans une politique de prestige national et international.

Second triomphe, le Cardinal a fiancé sa nièce Claire-Clémence avec le duc d'Enghien. Claire-Clémence a pour père Urbain
de Maillé-Brézé, maréchal de France depuis 1632. Sa mère était la
sœur du Cardinal. Il n'y a pas lieu de s'attarder sur la généalogie
qui fait remonter les du Plessis à Louis le Gros. Mais les du Plessis
étaient de bonne noblesse, même si le père du Cardinal, le grand-
père donc de la fiancée, avait laissé une situation financière très
difficile. La fiancée appartient donc à la très bonne noblesse. Il
y a pourtant un abîme entre eux et les Condé, qui sont princes
du sang, habilités donc à porter la couronne de France (81).
Le Roi a deux fils de trois et deux ans; celui qui sera Louis
XIV, celui qui sera Monsieur Philippe d'Orléans. Qu'ils disparais-
sent de quelque «mortalité» — la rougeole, la variole emmènent
beaucoup d'enfants en bas-âge — la couronne reviendrait à Gaston
d'Orléans. Il n'a pas de fils; seraient donc rois de France après lui
le prince de Condé puis son fils, le duc d'Enghien. Le duc d'Enghien, celui qui sera le Grand Condé, vainqueur de Rocroi est
ainsi le cinquième dans la succession éventuelle de France. C'est
ce que l'on oublie peut-être trop quand on étudie un personnage
qui a tenu tant de place. Quoi qu'il en soit, le Cardinal vient de
fiancer sa nièce avec un possible roi de France.
Il y a certes bien des misères cachées derrière ce mariage,
l'un des plus brillants du siècle. Et d'abord le fait que la mère de
la fiancée est morte folle, sinon à lier, du moins enfermée (1635);
Claire-Clémence finira de même (1694). Le mariage était prévu
depuis longtemps; mais les tractations avaient été laborieuses, au
point que M. le Prince et son fils le duc d'Enghien signèrent devant notaire, secrètement, une protestation contre les conditions
«extraordinaires» imposées par le Cardinal. Cette protestation
devait permettre d'attaquer son testament (82).
Le duc d'Enghien avait résisté de son mieux à un mariage
qui lui faisait horreur; mais il fallut s'incliner. Ce mariage devait
être particulièrement malheureux.
Au bal qui suivit la représentation de *Mirame*, M. le duc
dansa avec sa fiancée. Quelques semaines plus tard, le contrat
était signé, au Louvre. Après la signature l'assemblée s'achemina
au Palais-Cardinal où fut dansé le plus magnifique ballet dont on
eûtmémoire : trente-six entrées divisées en cinq actes. Ce *Ballet
de la Prospérité des armes de la France* était dû à Desmarets.

Au cinquième acte, la Concorde apparaissait sur un char doré
pour dire :
«Espagnols et François
Rangez-vous sous mes lois.»
Ainsi était lancée l'offre de paix que devait renouveler *Europe*.
La messe de mariage fut célébrée le 11 février 1641 dans la
chapelle du Palais-Cardinal.

Les frais étaient à la mesure du triomphe (83). On connaît
le cérémonial de la première par un des spectateurs qui eurent le
privilège d'y être convié, Michel de Marolles. «Il y eut aussi cette
année 1640 force magnificence dans le Palais-Cardinal, pour la
grande comédie de *Mirame* qui y fut représentée devant le Roi et
la Reine avec des machines qui faisaient le soleil et la lune et paraître la mer dans l'éloignement, chargée de vaisseaux. On n'y entrait que par billets et ces billets ne se donnèrent qu'à ceux qui
étaient marqués sur le mémoire de Son Éminence, chacun selon
sa condition, car il y en avait pour les Dames, pour les Seigneurs,
pour les Ambassadeurs, pour les Étrangers, pour les Prélats, pour
les Officiers de Justice et pour les Gens de Guerre. Je me trouvai
et je la vis commodément.» Marolles a été déçu. Il poursuit en
évoquant «Mons. de Valençai, lors évêque de Chartres, et qui
fut bientôt archevêque de Reims, aidant à faire les honneurs de
la maison, parut en habit court sur la fin de l'action et descendit
de dessus le théâtre [la scène] pour présenter la collation à la
Reine, ayant à sa suite plusieurs officiers, qui portaient vingt
bassins de vermeil doré, chargés de citrons doux et de confitu-
res. Ensuite de quoi les toiles du théâtre s'ouvrirent pour faire
paraître une grande salle où se tint le bal, quand la Reine y eut
pris place sous le haut dais. Son Éminence un pas derrière elle avait
un manteau long de taffetas couleur de feu, sur une cimarre de
petite étoffe noire, ayant le collet et le rebord d'en-bas fourré
d'hermine» (84).
L'évêque de Chartres avait déjà joué les ouvreuses, au grand
scandale de l'archevêque de Toulouse : «Les Prélats furent invités
et quelques-uns s'y trouvèrent [...]. L'évêque de Chartres y avait
paru, rangeant les sièges, donnant les places aux dames, et enfin
s'étant présenté sur le théâtre à la tête de vingt-quatre pages qui
portaient la collation, lui étant vêtu de velours en habit court,

disant à ses amis qui trouvaient à redire à cette action qu'il faisait toute sorte de métiers pour vivre.» (85)

Cette représentation de *Mirame* était si bien une opération politique que la *Gazette* lui consacra la moitié d'un numéro : cela ne s'était jamais vu. «Pièce qui n'a point eu sa pareille de notre âge... sujet excellent, traité avec une telle abondance de pensées délicates, fortes et sublimes qu'il serait malaisé de trouver dans tout l'amas des plus belles tragédies de l'Antiquité les raisonnements qui sont dans cette seule pièce, ornée des plus nobles sentiments et des tendresses les plus grandes de l'amour. La France, et possible les pays étrangers n'ont jamais vu un plus magnifique théâtre.» Le journaliste insiste sur les décors, les jeux de lumière et précise que la comédie «était circonscrite par les lois de la poésie dans les bornes de ce jour.»

La *Gazette* attribuait la pièce au sieur Desmarets «esprit poli et fertile tout ensemble»; mais tout le monde savait qu'il y avait derrière lui le Cardinal. «Je me suis trouvé assis près de M. le Cardinal qui avait tant d'attention au récit de sa comédie qu'il ne pensait qu'à s'admirer soi-même en son propre ouvrage» dit Alexandre Campion (86). Et Henri Arnaud : «Il est facile de juger si l'ouvrage d'un premier ministre représenté dans son palais, sous ses yeux, au milieu de tous les courtisans, dut avoir du succès. Au bruit des applaudissements qui retentissaient dans la salle, Richelieu, plein de joie, s'agitait, se levait, s'avançait en dehors de sa loge pour se montrer à l'assemblée.» (87)

Avant d'aborder la pièce même, il faut examiner trois témoignages qui peuvent aider à son interprétation. Celui de Tallemant des Réaux d'abord (88). Il fait l'histoire des rapports personnels entre la Reine et le Cardinal. Il n'a rien inventé; il a recueilli une tradition orale, lu peut-être des mémorialistes, La Porte, La Rochefoucauld. Son récit peut paraître romanesque, il l'est peut-être; mélange d'informations et de rumeurs, il mérite attention sinon toujours confiance.

A Richelieu, Tallemant prête un plan singulièrement machiavélique. «Il fit dessein de gagner la Reine et de lui faire un dauphin». Il lui fit donc proposer «de consentir qu'il tînt auprès d'elle la place du Roi; que si elle n'avait point d'enfant, elle serait toujours méprisée, et que le roi, malsain comme il était, ne pouvait pas vivre longtemps, on la renvoyerait en Espagne; au lieu que si elle avait un fils du Cardinal et le Roi venant à mourir bientôt, comme cela était infaillible, elle gouvernerait avec lui, car il ne pourrait avoir que les mêmes intérêts, étant le père de son enfant [...]. La Reine rejeta bien loin cette proposition. [...] Il [le Cardinal] ne laissa pas d'avoir toujours quelque petite galanterie avec elle.»

Notons que cet amour de Richelieu pour la Reine, venu du cœur ou du calcul politique, est confirmé par La Rochefoucauld et par Monglat (89).

Tout fut rompu lorsque le Cardinal découvrit que la Reine recevait des lettres d'Espagne par l'intermédiaire d'un de ses officiers, La Porte. Le Cardinal fit arrêter La Porte, et interroger la Reine par le Garde des sceaux. Nous reviendrons sur ces événements.

Tallemant poursuit : «Depuis, le Cardinal a toujours persécuté la Reine, et, pour la faire enrager, il fit jouer une pièce appelée *Mirame* où on voit Boucquinquant plus aimé que lui et le héros, qui est Boucquinquant, battu par le Cardinal. (Desmarets fit tout cela par son ordre et contre les règles). Il la força à venir voir cette pièce.»

Un deuxième témoignage est celui d'Antoine Arnaud, qui était alors militaire et devint ensuite abbé (90). Au mariage d'une nièce de Richelieu, dit-il, «on représenta sur le théâtre de son palais la comédie de *Mirame* dont Son Éminence elle-même avait donné le dessein au sieur Desmarets. Elle fut jouée en présence de la Reine. J'eus ma part de ce spectacle et m'étonnai comme beaucoup d'autres qu'on eût eu l'audace d'inviter Sa Majesté à être spectatrice d'une intrigue qui sans doute ne devait pas lui plaire, et que par respect je n'expliquerai point. Mais il lui fallut souffrir cette injure, qu'on dit qu'elle s'était attirée par le mépris qu'elle avait fait des recherches du Cardinal. Elle en fut un peu vengée par le peu d'estime qu'on fit de cette pièce : ce dont le Cardinal fut assez mortifé.»

Le troisième témoignage est celui de l'archevêque de Toulouse, Montchal, que nous avons déjà cité en partie (91). Le sujet lui a paru si transparent qu'il a débaptisé la pièce, ne l'appelle plus *Mirame* : «on avait joué la grande comédie de l'*Histoire de Buckingham* et dansé le célèbre ballet au Palais-Cardinal auquel les Prélats furent invités et quelques-uns s'y trouvèrent». L'histoire de Buckingham ? C'était encore une aventure sentimentale dans laquelle la Reine a été compromise. Nous y reviendrons aussi.

On se demande si à ces trois témoignages il ne faut pas en ajouter un quatrième. Nous avons déjà cité une lettre d'Alexandre de Campion (92). L'auteur poursuit en disant : «Je vous expliquerai toute cette affaire à mon retour, et je vous dirai seulement, en attendant, que j'y trouve [à *Mirame*] quantité de défauts qu'il faudrait être bien hardi pour publier ici, vu qu'il [Richelieu] s'intéresse plus à l'honneur de cette pièce qu'il ne l'a jamais fait de l'événement de toutes ses campagnes passées.»
Les «défauts» de *Mirame* qu'il était prudent de ne pas mettre par écrit dans une lettre et qu'il fallait réserver pour une conversation, concernaient-ils des déficiences dramaturgiques ? Voilà un aspect des choses qui devait laisser bien indifférents ces deux hommes d'action et d'intrigue qu'étaient le comte de Soissons et A. de Campion, son agent, son représentant, son confident.Ce qui pouvait l'intéresser, et motiver ce ton mystérieux, ne devait pas trop mal ressembler aux interprétations de Tallemant, de Monchal, d'Arnaud.

Cette convergence de témoignages mérite attention. Mais avant d'y revenir, il faut donner une idée de la pièce.
Un dialogue entre le roi de Bithynie, père de Mirame et le connétable du royaume expose la situation politique et sentimentale, on dirait mieux la situation matrimoniale et sentimentale. Arimant, le favori du roi de Colchos, était venu en ambassadeur pour obtenir Mirame pour le fils du roi de Colchos; ce jeune prince est mort, mais Arimant est resté quelques mois à la cour de Bithynie et il s'est épris de Mirame. Il est reparti ensuite dans son pays, à Colchos, mais il est revenu à la tête d'une flotte pour conquérir Mirame et Mirame accepte cet amour. L'orgueilleux Arimant tient sa flotte en rade et demande à voir le roi; mais ce n'est

qu'une «finesse» pour voir Mirame. Ce que craint le Roi, ce n'est pas l'armée et la flotte d'Arimant; l'ennemi le plus redoutable, c'est «son propre sang», l'ennemi intérieur :

«On frappe mon État et dedans et dehors
On corrompt mes sujets, on conspire ma perte,
Tantôt couvertement, tantôt à force ouverte [...]
        Mirame a suscité
Le mal où je mevois par sa seule beauté [...]
Arimant favori du prince de Colchos
Troublé de son amour veut troubler mon repos. [...]
[Mirame] à cet amour indigne abandonne son âme.»

A la fin de l'acte Mirame explique à sa confidente ses tourments :

«Je me sens criminelle aimant un étranger
Qui met pour mon amour cet état en danger [...]
        Il n'est que trop aimable
Mais mon cœur pour l'aimer n'en est pas moins blâmable [...]
Au bien de mon pays je préfère ma flamme,
Mais quel est ton espoir misérable Mirame,
Et quel est ton amour qui fait que tu trahis
Ton honneur, ton repos, ton père et ton pays [...]
Mon amour découvert est devenu fureur
Et malgré ma raison me fait être perfide,
Funeste à ma patrie...»

La grande scène attendue est bien évidemment la rencontre d'Arimant et de Mirame. Une confidente, traîtresse, l'a ménagée. Mirame sent bien pourtant que recevoir dans l'ombre de la nuit Arimant est un acte de haute trahison. L'amour est plus fort. Il s'agenouille à ses pieds et ne se relève qu'après une galante résistance :

«Mon astre dans la nuit éclaire en ce bocage [...]
Je viens chercher mon bonheur ou ma perte
Ou mourir à vos yeux ou bien vous enlever.»

Elle refuse de se laisser enlever. Il fera donc la guerre pour la conquérir et remettra sa conquête à Mirame, qui restituera son royaume à son père. Tout cela est dit avec beaucoup d'ingénieux concetti.

[...] «Je veux votre cœur tout entier
Mais vous aurez le mien [...]
Si vous avez le mien en la place du vôtre
Vous aurez tous les deux, puisque l'un est dans l'autre.»

Le jour se lève; Arimant se retire. Mirame reste à ses remords :

«J'abandonne mon sang, mon pays, mon honneur,
Mon devoir, ma raison, mon repos, mon bonheur,
La grandeur de mon rang, la vertu de mon âme
Pour n'avoir pas le cœur d'abandonner ma flamme.»

Les péripéties ensuite se succèdent. Arimant se fait tuer de sa propre épée par un esclave :

«Frappe, garde pourtant de toucher à mon cœur,
A ce cœur invincible, à ce cœur tout de flamme,
De crainte de frapper l'image de Mirame.»

Mirame s'empoisonne.

Il se trouvera que Mirame n'était qu'endormie. Il se trouvera qu'Arimant n'était qu'évanoui. On va les marier.

Pièce romanesque certes, encore ne sommes-nous pas entrés dans le détail des péripéties. Il est tentant de faire état de ce romanesque pour nier des liens avec l'actualité (93). Mais il y a les interprétations de Tallemant, de Monchal, d'Arnaud qui ne se laissent pas si facilement éliminer. Ne se laissent pas non plus aisément oublier les propos d'une princesse coupable d'aimer un ennemi et dont les amours constituent un danger intérieur pour le royaume; une fin heureuse, qui est la loi de la tragi-comédie, atténue sans doute leurs résonances, mais ne les supprime pas.

Or il y avait dans le passé de la reine Anne d'Autriche deux occasions où elle avait été accusée d'intelligences avec l'ennemi; et cela n'était pas resté dans le secret du cabinet, cela s'était su et largement. Elle avait été accusée d'abord d'avoir entretenu une intrigue amoureuse avec Buckingham; puis d'avoir entretenu une correspondance avec l'Espagne avec qui la France était en guerre.

Le récit le plus circonstancié, et aussi croyons-nous le plus autorisé de l'aventure de la Reine et de Buckingham est celui de La Rochefoucauld; nous le citons et l'analysons. (94)

Le Comte de Hollande, ambassadeur d'Angleterre en France et Mme de Chevreuse «formèrent le dessein de faire une liaison d'intérêt et même de galanterie entre la Reine et le duc de Bouquinquan bien qu'ils ne se fussent jamais vus. [...] Le duc de Bouquinquan était favori (95) du roi d'Angleterre, jeune, libéral, audacieux et l'homme du monde le mieux fait [...]. Il se fit choisir pour venir en France épouser Madame [sœur de Louis XIII] au nom du roi son maître [Charles Ier] et il y arriva avec plus d'éclat, de grandeur et de magnificence que s'il eût été roi. La Reine lui parut encore plus aimable que son imagination le lui avait pu représenter et il parut à la Reine l'homme le plus digne de l'aimer [...]. L'orgueil et la jalousie du Cardinal de Richelieu furent également blessés de cette conduite de la Reine et il donna au Roi toutes les impressions qu'il était capable de concevoir contre elle : on ne songea plus qu'à conclure promptement le mariage et à faire partir le duc de Bouquinquan. Lui de son côté retardait le plus qu'il lui était possible et se servait de tous les avantages de sa qualité d'ambassadeur pour voir la Reine sans ménager les chagrins du Roi.»

Buckingham s'en va enfin. Une tempête l'empêche d'embarquer. La Reine avait accompagné sa belle-sœur jusqu'à Amiens. A Amiens Buckingham rencontra deux fois la Reine. D'abord dans le jardin de la maison où elle résidait. Un soir ils se trouvèrent seuls. «Le duc de Bouquinquan était hardi et entreprenant, l'occasion était favorable et il essaya d'en profiter avec si peu de respect que la Reine fut contrainte d'appeler ses femmes et de leur laisser voir une partie du trouble où elle était.»

La deuxième rencontre eut lieu encore à Amiens, dans la chambre de la Reine. «Il revint à Amiens le lendemain de son départ sans prétexte et avec une diligence extrême. La Reine était au lit; il entra dans sa chambre et se jetant à genoux devant elle et fondant en larmes, il lui tenait les mains. La Reine n'était pas moins touchée, lorsque la comtesse de Lannoy, sa dame d'honneur, s'approcha du duc de Bouquinquan et lui fit apporter un siège en disant qu'on ne parlait point à genoux à la Reine. Elle fut témoin du reste de la conversation qui fut courte. Le duc de Bouquinquan remonta à cheval en sortant de chez la reine et reprit le chemin d'Angleterre. On peut croire aisément ce qu'une conduite si extraordinaire fit dans la cour et quel prétexte elle donna au Cardinal pour aigrir encore le Roi contre la Reine.» Le récit de cette aventure se rencontre, avec quelques variantes de détail chez d'autres mémorialistes. Selon Mme de Motteville, qui a été une confidente de la Reine, celle-ci ordonna au duc de se lever et de sortir, «sans peut-être être trop en colère.» (96)

La Porte, qui est aussi au service de la Reine, fidèle entre les fidèles donne plus de détails (97). «La Reine logea dans une maison où il y avait un fort grand jardin le long de la rivière de Somme. La Cour s'y promenait tous les soirs et il y arriva une chose qui a bien donné aux médisants l'occasion d'exercer leur malignité. Un soir que le temps était fort serein, la Reine, qui aimait se promener tard, étant en ce jardin, le duc de Buckingham la menait [...]. Se voyant seul avec elle [il] s'émancipa fort insolemment jusqu'à vouloir caresser la Reine, qui en même temps fit un cri, auquel tout le monde accourut». L'écuyer de la Reine arrêta le Duc, puis le laissa aller. Et il fut résolu d'assoupir la chose autant que l'on pourrait.

Buckingham, retenu à Boulogne par une tempête, revient à Amiens. La Reine y est toujours; elle est au lit : elle s'est faite saigner. «MM. Buckingham et Holland demeurèrent beaucoup plus tard que la bienséance ne le permettait à des personnes de cette condition lorsque les Reines sont au lit.»

La Porte, on le voit, minimise les événements. Il ajoute que le Roi fut très jaloux et éloigna de la Reine «tous ceux qu'il crut avoir part à cette intrigue.» Lui-même en était.

Les *Mémoires* de Monglat sont plus succincts (98). Quant à Tallemant des Réaux (99), il ne s'est pas cru tenu de gazer. «Le comte de Carlile et le comte d'Olland, qui furent envoyés ici pour en traiter [du mariage de la reine d'Angleterre] donnèrent avis à Bouquinquant, favori du Roi, qui avait le roman en tête qu'il y avait en France une jeune reine galante et que ce serait une belle conquête à faire; dès lors il y eut quelque commerce entre eux, par le moyen de Mme de Chevreuse, à qui le comte d'Olland en contait; de sorte que quand Bouquinquant arriva pour épouser [par procuration] la reine d'Angleterre, la reine régnante était toute disposée à le bien recevoir. Il y eut bien des galanteries; mais ce qui fit le plus de bruit, ce fut quand la cour alla à Amiens, pour s'approcher d'autant plus de la mer, Bouquinquant tint la Reine toute seule dans un jardin; au moins il n'y avait qu'une Mme du Vernet, sœur de feu M. de Luynes, dame d'atour de la Reine; mais elle était d'intelligence et s'était assez éloignée. Le galant culebutta la Reine et lui écorcha les cuisses avec ses chausses en broderies; mais ce fut en vain, car elle appela tant de fois que la dame d'atour, qui faisait la sourde oreille, fut contrainte de venir au secours.

«Quelques jours après [...], Bouquinquant qui avait pris congé de la Reine comme les autres, retourna quand il eut fait trois lieues; et comme la Reine ne songeait à rien, elle le voit à genoux au chevet de son lit, Il y fut quelque temps, baise le bout des draps et s'en va.»

Jusqu'à présent l'histoire d'Anne d'Autriche et de Buckingham ne ressemble pas trop mal à celle de Mirame et d'Arimant. Les ressemblances ne s'arrêtent pas là. Pour revoir la Reine, Buckingham voudrait revenir en France en qualité d'ambassadeur extraordinaire; le Cardinal s'y oppose. «Ne pouvant faire mieux, il y vint avec une armée navale attaquer l'île de Ré. A son arrivée, il prit un gentilhomme de Xaintonge, nommé Saint-Surin, homme adroit et intelligent qui savait fort bien la Cour. Il lui fit mille civilités, et lui ayant découvert son amour, il le mena dans la plus belle chambre de son vaisseau. Cette chambre était fort dorée; le plancher était couvert de tapis de Perse, et il y avait comme une espèce d'autel où était le portrait de la Reine, avec plusieurs flambeaux allumés. Après il lui donna la liberté, à condition d'aller dire à M. le Cardinal qu'il se retirerait et livrerait La Rochelle, en un mot qu'il offrait la carte blanche pourvu qu'on lui promît de le recevoir ambassadeur en France. Il lui donna aussi ordre de parler à la Reine de sa part. Saint-Surin vint à Paris et fit ce qu'il avait promis. Il parla au Cardinal qui le menaça de lui faire couper le cou s'il en parlait davantage.»

La Rochefoucauld dit les choses plus succinctement. Le duc vient avec une flotte pour secourir La Rochelle. «Le Cardinal accusa la Reine d'avoir concerté cette entreprise avec Bouquinquan pour faire la paix des Huguenots et pour lui donner le prétexte de revenir à la Cour et de revoir la Reine.»

S'il n'est pas question chez La Rochefoucauld de la chapelle érigée au culte de la Reine, en revanche on trouve chez lui l'histoire des ferrets de diamants (100) dont Alexandre Dumas fera un épisode des *Trois mousquetaires*. Il est romanesque aussi; La Rochefoucauld est le seul à le raconter, mais on voit très bien pourquoi il pouvait être seul à le connaître, et on ne voit pas pourquoi ni comment il l'aurait inventé. Il faut le tenir pour exact. Il faut se dire que cette génération nourrie de l'*Astrée* d'abord, et de bien d'autres romanciers, se mouvait à l'aise dans le romanesque. Il faut se dire aussi que les structures politiques, qui personnalisent à l'extrême le pouvoir et le «crédit» (101), rendent possibles des démarches que nous ne pouvons que malaisément concevoir. La politique est le jeu tragique, comique, tragi-comique d'un petit nombre de privilégiés, pris dans un réseau d'intrigues souvent obscures.

L'aventure d'Amiens se passait en 1625, le débarquement de Buckingham dans l'île de Ré en 1627. L'année suivante il était assassiné. La Reine d'abord ne crut pas à cet assassinat. «Elle en fut sensiblement touchée.» Elle disait : «Je viens de recevoir de ses lettres.»

Le Cardinal n'oubliait pas. «J'ai ouï dire à Lyonne que la première fois que le Cardinal de Richelieu présenta Mazarin à la Reine (C'était après le traité de Casal [1630]) il lui dit : Madame, vous l'aimerez bien, il a l'air de Bouquinquant.» (102) De fait, elle l'aima bien, et peut-être jusqu'à l'épouser.

La Reine n'oubliait pas davantage. Il ne lui déplaisait pas qu'on rappelât qu'elle avait été l'héroïne d'une grande passion. C'est ce que fit Voiture, et la Reine ne s'en offensa pas. (103)

C'est en 1633 que sont imprimés pour la première fois les mots, impies, de «répudiation de la Reine» dans une curieuse affaire d'espionnage (104). Le 3 ou 4 juin en effet Richelieu envoyait au journaliste Renaudot son homme de confiance Le Masle des Roches porteur d'un article de vingt-huit lignes à insérer dans la *Gazette*. Le journal était déjà imprimé et en partie diffusé. Une seconde édition est composée et tirée. Le Masle des Roches emporte les exemplaires restant de la première édition. Mais ces deux éditions pour un même numéro font sensation, si bien que le prince de Condé serait allé lui-même chez Renaudot pour en demander les raisons.

L'article dont le Cardinal demandait l'insertion racontait ceci. «Le Sieur de Laffemas intendant de la Justice ès provinces et armées de Champagne est arrivé depuis trois jours en ce lieu [Fontainebleau] et a fait amener avec lui plusieurs prisonniers d'État; entre lesquels est le sieur Dom Joüan de Medicis, lequel fut par lui arrêté à Troyes, venant de Bruxelles en habit déguisé, se faisant nommer marquis de Saint-Ange. On tient qu'il était chargé de plusieurs papiers importants et particulièrement de plans de villes et places de ce Royaume et de lettres tendantes à décrier le Roi et le gouvernement de son État, dont on ne sait pas les particularités. Mais ce qui se peut savoir est que par l'une des dites lettres on supposait que le Roy envoyait à Rome pour trois choses aussi malicieuses qu'elles sont éloignées de toute apparence; à savoir :

— Pour répudier la Reine.

— Pour faire déclarer Monsieur le duc d'Orléans inhabile et incapable de succéder à la Couronne.

— Et pour avoir la liberté de protéger les Luthériens.

Comme aussi on a trouvé dans lesdits papiers des lettres de créance de l'Archiduchesse au Cardinal Infant; et une figure (105) sur la naissance du Cardinal Duc de Richelieu; faite par un nommé Fabrone, qui est à Bruxelles auprès de la Reine mère; où l'on tient que le nom dudit Cardinal est écrit de la main dudit Fabrone. On croit qu'il n'a pas passé en France sans dessein, pour ce qu'il a séjourné quatre jours à Paris, et conféré avec plusieurs personnes suspectes. Le temps et la visite de ses papiers découvriront le secret de sa négociation.»

On voit que la répudiation éventuelle de la Reine est évoquée avec un démenti immédiat : «chose malicieuse et éloignée de toute apparence.» Mais il est des démentis qui confirment, on craint bien que celui-là soit de cette variété : il eût été si simple de ne pas parler de la Reine du tout. La guerre n'est pas encore déclarée, mais la tension est déjà grande. La Reine est nommée dans un contexte bien déplaisant, dans une affaire d'espionnage. Monsieur frère du Roi, et sujet rebelle, la Reine mère, réfugiée à Bruxelles, les représentants de l'Espagne aux Pays-Bas, l'Archiduchesse et le Cardinal Infant, tous ennemis du Cardinal sont mis en cause. Tout se passe comme si le Cardinal utilisait le procédé bien connu en

matière de procès politique, le procédé de «la charrette.»
Plus récente, plus grave aussi, la crise d'août 1637. On en
trouverait un bon récit dans le P. Griffet, sans parler des historiens modernes (106). Nous préférons aller directement aux mémorialistes contemporains, témoins, voire acteurs dans cette affaire qu'on pourrait appeler l'affaire de la correspondance espagnole, ou encore affaire du Val-de-Grâce, encore que tout ne se
passe pas au Val-de-Grâce.

Ces mémorialistes sont surtout La Porte, La Rochefoucauld
et Richelieu, mais il faut ajouter Mme de Motteville, Brienne,
Tallemant des Réaux également qui a vu les choses de moins
près, mais a recueilli des précisions supplémentaires, transmises
de bouche à oreille et qu'il est malaisé de récuser. Ainsi peut-on
établir la trame des événements et imaginer ce que le public a pu
en savoir.

Le personnage qui, avec la Reine, a le plus souffert dans
cette affaire est un de ses «domestiques» ou de ses «officiers»,
La Porte son homme de confiance (107). La Reine, dit La Porte,
n'avait pas d'enfant après bien des années de mariage; elle craignait d'être répudiée. Elle entretenait une correspondance avec
le Roi d'Espagne et le Cardinal-Infant, ses frères, avec l'archiduchesse gouvernante des Pays-Bas, sa tante, avec le duc de Lorraine,
avec Mme de Chevreuse, alors bannie en Touraine. C'est à La
Porte qu'elle avait confié ses cachets et ses codes de chiffrement.
Elle écrit ses lettres en espagnol et La Porte les chiffre; il dé-
chiffre les réponses. Cette correspondance est acheminée par un
secrétaire de l'ambassade d'Angleterre à Paris; qui les fait parve-
nir au résident d'Angleterre à Bruxelles, qui les remet au marquis de Mirabel, ancien ambassadeur d'Espagne en France, devenu, depuis que le roi de France et le roi d'Espagne sont en
guerre, ambassadeur d'Espagne auprès de l'Archiduchesse.

«Cependant les espions et espionnes [du Cardinal auprès
de la Reine] veillaient et observaient continuellement.» Une
lettre est interceptée, La Porte arrêté et embastillé. Il nie tout.
Le Cardinal finit par l'interroger lui-même, le menace, lui fait des
promesses. «Il [le Cardinal] savait bien que la Reine avait correspondance en Flandre et en Espagne, qu'elle y écrivait souvent et
que c'était moi qui la servais en toutes ces intelligences, que je
n'avais qu'à demeurer d'accord et que ma fortune était faite.»

Le 15 août, la Reine qui a communié, jure sur le Saint Sa-
crement qu'elle n'a pas écrit en pays étranger. Le 17 elle avoue
pourtant qu'elle a écrit en Flandre au Cardinal-Infant «mais que
ce n'était que choses indifférentes pour savoir l'état de sa san-
té.» (108)

Une perquisition avait été faite au Val-de-Grâce. Dans ce
couvent qu'elle avait fondé, la Reine avait sa cellule et elle allait
y faire retraite. La perquisition fut dirigée par le chancelier Séguier, assisté de l'archevêque de Paris. On ne trouva, dit au moins
Mme de Motteville (109), que disciplines, ceintures avec des poin-
tes de fer, haires. La supérieure fut déposée par l'archevêque, une
nouvelle immédiatement élue (13 août).

Quelques jours plus tard, la Reine, qui était alors à Chantilly, fut interrogée par le Chancelier Séguier. «Le garde des
sceaux ne l'interrogea pas seulement, mais il la fouilla en quelque
sorte, car il lui mit la main dans son corps pour voir s'il n'y avait
point de lettres; au moins y regarda-t-il et approcha les mains de
ses tétons. Dans le désespoir où il la mit, elle avait résolu de s'en-
fuir à Bruxelles. Le prince de Marsillac, jeune homme de vingt
ans, depuis M. de La Rochefoucauld de la Fronde, la devait mener
en croupe.» (110)

En définitive la Reine ne s'enfuit pas; elle reconnut les faits
et se soumit de la façon la plus humiliante. Elle dut signer une déclaration (111) reconnaissant «les intelligences que nous [la Reine]
pouvions avoir eues» [...] «avouant librement avoir écrit plusieurs
fois à M. le Cardinal-Infant notre frère, au marquis de Mirabel.
[...] Nous avons quelquefois témoigné du mécontentement où
nous étions et avons reçu et écrit des lettres au marquis de Mirabel, qui étaient écrites en des termes qui devaient déplaire au
Roi.»

Après ces aveux, la Reine prenait un engagement : «Nous
promettons de ne jamais retourner à pareilles fautes et de vivre
avec le Roi comme une personne qui ne veut avoir aucuns intérêts que ceux de sa personne et de son État.»

Des instructions complémentaires du Roi précisaient que la
Reine n'écrirait plus à Mme de Chevreuse; que Mme de Sénécé
rendrait compte au Roi de toutes les lettres que la Reine recevrait
ou enverrait; que Mme de Sénécé garderait l'écritoire de la Reine;
que la Reine n'entrerait plus jusqu'à nouvel ordre dans les cou-

vents de religieuses.

Sous ces instructions, la Reine écrivit : «Je promets au Roi d'observer religieusement le contenu ci-dessus. 17 août 1637.» «Ensuite de tout cela, Sa Majesté monta dans la chambre de la Reine; elle lui demanda pardon; il le lui accorda volontiers et ils s'embrassèrent tous deux à la supplication du Cardinal.» C'est le Cardinal qui avait rédigé ce protocole d'accord. Cela se passait à Chantilly.

Dans les jours suivants, viennent des précisions. «La Reine manda au Cardinal par le sieur de Chevigny qu'elle se souvenait qu'elle avait véritablement donné un chiffre à La Porte pour écrire au marquis de Mirabel» (22 août). La Supérieure démise du Val-de-Grâce fit aussi des aveux et La Porte pareillement. La Porte fut mis en liberté en mai 1638 seulement.

Telle est la trame des événements, sur quoi, à quelques détails près, les mémorialistes sont d'accord. Sur la qualification des faits incriminés, naturellement, ils divergent. Les amis de la Reine minimisent l'affaire. «Elle était coupable, si c'était un crime d'avoir écrit au roi d'Espagne son frère et à Mme de Chevreuse», dit Mme de Motteville qui veut faire croire à une correspondance purement familiale et amicale. La Rochefoucauld affirme : «Heureusement les choses changèrent : la Reine ne se trouva pas coupable, l'interrogation du chancelier la justifia et Mme d'Aiguillon adoucit le cardinal de Richelieu.»

Ces deux témoignages font plus honneur au sens de l'amitié de leurs auteurs qu'à leur véracité. La version du Cardinal est bien différente. Il rapporte les aveux faits par la Reine : «A donné airs du voyage d'un minime en Espagne, pour qu'on eût l'œil ouvert à voir à quel dessein on l'envoyait.» — «A donné avis au marquis de Mirabel qu'on parlait ici de l'accommodement de M. de Lorraine et qu'il y prît garde.» — «Elle avait témoigné être en peine de ce qu'on disait que les Anglais s'accommodaient avec la France au lieu de demeurer unis à l'Espagne.»

C'est-à-dire que la Reine de France donnait à l'ambassadeur d'un pays en guerre avec la France, pour qu'il les transmît à son gouvernement, des informations lourdes de conséquences. Elle permettait l'arrestation ou au moins la surveillance d'un agent secret français. Elle faisait savoir que la France allait conclure un accord avec le duc de Lorraine, dont l'armée, petite mais solide, pouvait être d'un grand poids dans le conflit. Elle faisait savoir aussi que l'Angleterre risquait de quitter le camp espagnol pour le camp français, un renversement des alliances.

Imaginons le second personnage de l'État livrant à l'ennemi des informations de ce genre en 1914-1918 ou en 1939-1940, il ne s'en serait pas tiré à aussi bon compte que la Reine en 1637. Elle s'en tirait à meilleur compte aussi que ne devait le faire «l'Autrichienne», Marie-Antoinette.

On pourrait penser que Richelieu a chargé outre mesure la Reine. Mais la correspondance si compromettante a été conservée (112), aucun doute n'est possible.

Le scandale avait été grand. Si l'on veut croire Mme de Motteville, c'est la sévérité à l'égard de la Reine qui émut : elle dut demander pardon «ce qu'elle fit avec beaucoup de larmes et qu'on la força de faire avec beaucoup de rudesses qui scandalisèrent toute la France.» Mais La Rochefoucauld reconnaît qu'elle était «abandonnée de tout le monde» et Brienne (113) : «Cette princesse était alors comme abandonnée de toute la Cour et même à peine ses propres officiers la servaient-ils.»

Si l'on regarde ces événements à la fois sous l'angle du droit et en songeant à leur retentissement dans l'opinion publique, c'est un procès de haute trahison ou d'intelligences avec l'ennemi qui s'est déroulé. Le mot intelligences revient au reste constamment sous la plume des mémorialistes. Procès qui s'est déroulé selon une procédure extraordinaire (114) justifiée par la qualité de l'inculpée. Le Roi a été à la fois juge et partie, mais comment faire autrement ?

La Reine, après ses aveux, voulait prendre la main du Cardinal et lui tendre la sienne en lui disant : «Quelle bonté à vous, M. le Cardinal.» Bonté du Cardinal ? Peut-être s'est-il laissé apitoyer par la détresse d'une femme qu'il avait aimée, ou désirée; encore que la bonté ne fût guère son genre. On peut se dire aussi qu'il trouvait politiquement plus utile de «tenir» la Reine que de la faire répudier. On parlait en effet beaucoup de répudiation (115). A défaut d'une répudiation, il y avait eu exposition au pilori. La Reine en tomba malade : elle avait subi un dur châtiment.

Entre la Reine d'un côté, le Cardinal et le Roi d'autre part, les rapports ont été constamment tendus, avec des épisodes violents. L'affaire Buckingham et celle des lettres espagnoles sont sans doute les plus graves, les plus connues aussi. Mais il y en a eu d'autres. Il n'est pas de notre propos de les étudier, les historiens s'en sont chargés (116). Évoquons-en pourtant trois. Anne d'Autriche a été mise en cause dans le complot de Chalais (1626). Elle comparaît devant une manière de tribunal familial, et voilà qui préfigure les événements de 1637. Il y avait là le Roi, mais aussi la reine-mère. On fait asseoir la Reine non dans un fauteuil mais sur une sellette, comme une inculpée à l'audience. Le Roi l'accuse d'avoir voulu sa mort pour épouser son frère. La Reine proteste que sa belle-mère, la Reine mère, et Richelieu la persécutent; mais le Roi reste persuadé qu'elle a trempé dans l'affaire Chalais.

L'année suivante, Richelieu la soupçonne d'avoir concerté avec Buckingham l'expédition qui doit secourir la Rochelle. Qu'en est-il exactement ? Peu importe à notre propos : il s'agit de définir un climat.

En 1629, Anne envoie son fidèle La Porte au duc de Lorraine pour le prévenir des mauvais desseins du Cardinal à son égard.

Elle reste en correspondance avec les émigrés, Monsieur, la Reine mère lorsqu'elle s'est enfuie, Mme de Fargis ... La police de Richelieu intercepte cette correspondance.

L'affaire des lettres espagnoles prend une gravité exceptionnelle du fait que la France est alors en guerre. Richelieu a dû se dire que la Reine, cette fois, était entre ses mains, que c'était l'occasion de la mettre hors d'état de contrecarrer désormais sa politique.

Nous serions donc très disposé à faire confiance aux contemporains qui invitent à chercher des allusions d'actualité (117) dans *Mirame*, à Tallemant en particulier qui évoque à la fois l'affaire Buckingham et les intelligences de la Reine avec l'Espagne. Faisant écrire *Mirame* par Desmarets, surveillant la rédaction, collaborant peut-être, le Cardinal avait la satisfaction de se livrer à son passe-temps favori. Il avait d'autres satisfactions peut-être : le monde politique est un monde où l'on ne pardonne pas, où l'on n'oublie pas, où il n'y a jamais prescription, — et lorsque *Mirame* est jouée l'affaire des lettres espagnoles date de moins de trois ans —,un monde où l'on n'est pas très difficile sur le choix des armes. Richelieu a bien des raisons de rappeler deux épisodes qui rendent la Reine vulnérable. Le dépit amoureux ? peut-être. Le désir surtout de montrer à l'adversaire en puissance qu'il a des armes contre elle. Le désir de frapper, à travers la Reine, le parti espagnol (118). *Mirame* a sa place au dénouement d'une longue crise.

D'où une pièce où se combinent les miroitements de la fiction théâtrale et les allusions à la réalité : assez d'allusions pour que l'avertissement soit entendu, assez de modifications — et surtout une fin heureuse — pour que les allusions puissent être niées.

Mirame est imprimée en 1641, en un luxueux in 4°, avec des planches du florentin Della Bella qui montrent le décor, le jardin du palais royal d'Héraclée en Bithynie; il s'étend jusqu'à la mer entre deux rangées de colonnes. Pour chaque acte une lumière différente, grand jour, lever de la lune, aurore, etc... la pièce s'achève dans le soleil de midi. Ainsi était-il rappelé bien clairement qu'étaient respectées les unités de jour et de lieu. Le Cardinal est de ceux qui ont engagé notre théâtre au respect des unités. — On ne pensera pas que la vente de l'ouvrage ait suffi à financer l'édition.

— *Europe*, comédie héroïque

La pièce est certainement prête dès la fin de 1638. «M. Desmarets doit donner à notre théâtre une pièce allégorique de la grande querelle qui agite l'Europe et dont l'ambition espagnole fait le principal sujet. Je souhaite qu'elle réussisse et peut-être elle réussira, encore que je voie assez de lieu d'en douter. Il ouvre bien (119) et son imagination lui présente de beaux commencements, je ne trouve pas qu'il les pousse assez et ses fins qui devraient être les plus parfaites clochent et tombent le plus souvent.» (120)

L'Académie examine le Prologue le 31 janvier 1639 (121).

Europe ne sera pourtant jouée qu'en 1642. Une œuvre pareille ne pouvait être donnée que lorsque la France serait en position de force. Elle ne l'était pas en 1638; elle l'était en 1642 après une série de succès sur tous les fronts, qui lui donnaient l'initiative des opérations : ainsi en 1639 la prise d'Hesdin, celle d'Arras l'année suivante; en 1641 poussée française sur les Pays-Bas espagnols, avec les prises de plusieurs places, Lens, Aire sur la Lys. Des succès aussi du côté des Pyrénées : la Catalogne fait sécession et reconnaît Louis XIII comme son souverain (1641); en 1642 Richelieu et le Roi marchent sur Perpignan que les Espagnols évacuent (septembre 1642).

En politique intérieure aussi la situation est favorable au Cardinal. La révolte du Comte de Soissons, soutenu par l'Espagne, aboutit à la mort de Soissons, accident ou attentat on ne sait, à la Marfée (juillet 1641). Ainsi disparaît un des plus redoutables adversaires du Cardinal. La conspiration de Cinq-Mars, soutenu lui aussi par l'Espagne, a échoué : Cinq-Mars a été décapité (12 septembre 1642), Monsieur, frère du Roi, a fait sa soumission. Le duc de Bouillon a racheté sa liberté en abandonnant sa principauté de Sedan, qui devient française. C'est le dernier grand succès du Cardinal, et il lui fera une place particulière dans sa pièce. Place très méritée : Sedan étant à la fois un passage des invasions et une base et un refuge pour les ennemis du Cardinal. Les troupes françaises occupent Sedan le 29 septembre 1642; Richelieu devait mourir deux mois plus tard (4 décembre).

La reine-mère, Marie de Médicis, est morte (3 juillet 1642); ainsi disparaît celle qui avait été une protectrice d'abord, puis une ennemie redoutable, et qui pouvait encore être dangereuse.

Surtout peut-être, la succession au trône est assurée par la naissance d'un dauphin qui sera Louis XIV (5 septembre 1638), puis d'un second fils, Philippe d'Anjou (21 septembre 1641). Monsieur frère du Roi n'est plus l'héritier présomptif; le danger politique qu'il constituait n'existe plus.

L'Espagne, en position militaire difficile, a perdu aussi ses possibilités d'agir sur la politique intérieure française.

Richelieu est ainsi en situation favorable pour traiter avec une Espagne affaiblie. L'Empereur déjà est venu à composition : une date même a été fixée pour une première rencontre entre plénipotentiaires; ce qui devait être, après des années de négociations, les traités de Westphalie, s'annonce. La représentation d'*Europe* peut avoir lieu : c'est un acte politique dans ce qu'on

pourrait appeler une offensive de paix; Tallemant des Réaux dit
très justement que c'est «un manifeste » (122).

La décision de représenter *Europe* a sans doute été prise
dès le retour à Paris du Cardinal, à la mi-octobre. Il revenait de
Perpignan qui avait été évacué par les Espagnols le 9 septembre;
le 12 Cinq-Mars avait été exécuté; le 29 les troupes françaises
avaient occupé Sedan.
Richelieu assista à des répétitions en costumes (123). Une
représentation d'apparat était prévue : «Demain se représente au
Palais-Cardinal l'*Europe*, comédie nouvelle en grande magnificence. On ne sait si la Reine n'y sera point car l'on prépare une
grande collation», écrit Henri Arnaud (124). Le même, le 19 novembre : «Hier se représenta au Palais-Cardinal la comédie d'*Europe*. Ce n'était qu'une répétition. Son Éminence n'y assista
point». On comprend que la représentation fastueuse, avec présence de la Reine, collation ensuite, a été remplacée par une représentation toute simple, considérée comme une simple répétition, à cause de l'absence du Cardinal, hors d'état d'y paraître.
Cette grande représentation eût été le triomphe de sa politique extérieure, comme *Mirame* avait été le triomphe de sa politique intérieure et la consécration de ses ambitions familiales.
Richelieu fut frustré de ce triomphe, il n'avait plus qu'une quinzaine de jours à vivre.
Le dernier mot revint à son ennemi Mathieu de Mourgue,
qui ne désarmait pas. «Peu de jours avant la catastrophe de sa
vie pratique, il voulut faire représenter avec une magnificence
royale une comédie imaginée par lui qu'il appela triomphe d'Europe; mais il ne put la voir jouée.» (125)
La *Gazette* reste silencieuse sur ces représentations ou répétitions. C'est peut-être pour compenser l'absence de la grande représentation officielle, et le silence du journal, que la pièce est imprimée très vite; sans nom d'auteur (126).

Un avis au lecteur et une clef permettent de décrypter des
allégories très transparentes, qui ont d'ailleurs leur transcription
plastique dans un frontispice allégorique lui aussi (127). Ibère a
une volumineuse fraise, un chapeau à grand panache, le costume
d'un militaire espagnol, c'est-à-dire aussi bien le costume des

58

soldats fanfarons dans les comédies contemporaines; ce soldat fanfaron s'appelle Matamore dans *L'Illusion comique* de Corneille (1636). Le graveur et l'auteur de la pièce n'étaient sans doute pas fâchés que l'on pût penser au soldat fanfaron en cette occasion. Il tend à Europe des fers pour l'enchaîner. Elle se tourne vers un brillant jeune homme, qui porte un costume à l'antique, celui des jeunes premiers de tragédie, manteau flottant, sur son casque en guise de cimier un coq, le coq gaulois. C'est Francion. Europe est une belle personne coiffée d'une manière de tiare, ample robe, mains fines. Germanique se reconnaît à sa coiffure faite de deux aigles. Austrasie a un genou en terre : elle demande la paix.

Ce frontispice illustre l'idée centrale de la pièce : l'Espagne fait semblant d'être pacifique mais cherche à asservir l'Europe; la France est réellement pacifique.

[Ibère] «sait parler de paix et moi je la sais faire.
Il la fuit et la craint; je la cherche et l'espère.
Il dit bien qu'il ne veut que le commun repos,
Puis soudain les effets démentent ses propos.
Et moi, sans affecter d'être cru pacifique
J'établis en effet la liberté publique.»

Un Prologue montre la Paix descendue du Ciel; elle annonce une ère de prospérité pour l'agriculture, le commerce, les arts, musique, peinture, littérature, théâtre.

«La troupe des Neuf Sœurs de la terre bannie
Va descendre du Ciel [...]
[Elles] n'auront pas à mépris
De monter sur la scène et de plaire aux esprits.»

La pièce est ensuite une comédie de la quête amoureuse : autour de la belle s'empressent les rivaux; rien dans cette intrigue ne dépayse beaucoup le spectateur habitué aux comédies contemporaines, à celles de Corneille par exemple. La différence est que tous ces personnages représentent les puissances européennes, leurs intérêts, leurs ambitions, leurs conflits ou leurs alliances.

Ibère brûle pour Europe qui ne l'aime pas. Elle lui reproche

Louis XIII et sa Cour assistant à la représentation de *Mirame* au Palais Cardinal (24 janvier 1641). (Musée des Arts Décoratifs, Paris). De droite à gauche : Richelieu, Louis XIII ; la Reine et le petit dauphin, futur Louis XIV. (Cliché coll. Roger Viollet).

sa violence; il ne réussira pas à la conquérir par la guerre :
«Vous dont l'ambition me trouble incessamment,
Vous qui me détruisez au lieu de me défendre.»

Europe ne se laissera pas coloniser comme l'a été l'Amérique :
«Ibère, on vous connaît, cherchez quelques sauvages
Qui par simplicité vous ouvrent leurs rivages;
Pour vous combler de biens, comblez-les de malheurs.»

Par contre Europe accepte Francion :
«Non pour son amant, mais pour son chevalier.»

Ibère voudrait acquérir à sa cause Ausonie [l'Italie]; sa victoire et la conquête d'Europe serait alors assurée. Mais Francion vient au secours d'Ausonie : il en a la puissance. Ici s'insère un tableau de la France qui a surmonté les conjurations des siens et les intrigues espagnoles qui les suscitaient et les appuyaient. Francion a désormais les mains libres pour agir en politique extérieure :

«Ma valeur maintenant agit en liberté.
Je ne suis plus chez moi de troubles agité,
Ni trahi par les miens ni surpris par les vôtres.
Je sais punir les uns, et sais vaincre les autres.
Votre art sur mes états fait de vains appareils.
Il ne pénètre plus jusque dans mes conseils.
Je ne redoute plus ni perfide assistance
Ni traité captieux, ni trompeuse alliance.»

A son retour à Paris, Richelieu fit ajouter à la pièce des vers sur la prise de Sedan, qu'il appelait l'*antre des monstres* (128). Ce pourrait bien être les vers suivants :

Francion. «J'ai dissipé des miens les entreprises noires
qu'Ibère nourrissait pour borner mes victoires
Et pour comble d'honneur la place est dans mes mains
Par où pouvaient un jour s'éclore leurs desseins.

Ibère. Ah ! C'est là mon malheur. Nul espoir ne me reste,
Voilà, voilà le coup à ma grandeur funeste.
J'attendais en suspens par ce complot puissant
De revoir tout à coup mon pouvoir renaissant.»

Ces vers sont donc postérieurs à la prise de possession de Sedan par les troupes françaises, le 29 septembre 1642.

L'expression relevée par Tallemant, «l'antre des monstres», ne se trouve pas dans le texte imprimé. La scène a dû être édulcorée : parmi les monstres comploteurs alliés intérieurs d'Ibère contre Francion, il y avait notamment Monsieur frère du Roi, qui pouvait bien un jour être, qui a failli être, régent du royaume. Une fois Richelieu disparu, Monsieur méritait d'être ménagé.

A défaut de l'appui d'Ausonie, Ibère s'est alliée avec Germanique, c'est-à-dire il le dupe :

«Ce pauvre Germanique innocemment emploie
Son bien, son sang, sa peine et souffre mille maux
Espérant partager le fruit de mes travaux.
Je prétends l'asservir aussi bien que les autres.»

Austrasie même s'est rangée du côté de Francion. Austrasie, c'était la Lorraine. Entre le roi de France et le duc de Lorraine, il y avait un contentieux grave. L'un des éléments était le mariage de Monsieur, frère du Roi, avec la sœur du duc de Lorraine (1633). Le mariage de celui qui était alors l'héritier présomptif du trône, contracté sans l'autorisation de Louis XIII, était considéré par lui comme clandestin et il avait poursuivi le duc Charles de Lorraine devant le Parlement de Paris pour rapt, envahi la Lorraine, occupé Nancy. Au troisième acte d'*Europe*, Francion exige d'Austrasie comme gage de sa bonne foi un précieux trésor : une boîte enrichie de diamants. Il ouvre la boîte et il y découvre un portrait d'Ibère. Ce qui signifie que même lorsqu'il traite de paix avec la France, le duc de Lorraine reste pro-espagnol. De fait, lorsque se joue *Europe*, une armée française est de nouveau en Lorraine.

Rappelons que cette Lorraine, ravagée par les armée régulières et les bandes des condottières, a pour historien un graveur J. Callot. *Europe* ne fait pas grande place aux malheurs de la guerre : le théâtre montre des jeux de princes et ne s'inquiète guère des petites gens.

Austrasie, malgré le portrait dans la boîte de diamants, a fini par s'apercevoir que

[Francion] «est sans intérêt, sans orgueil, sans malice.
Son cœur franc veut la paix, sans fard, sans artifice.»

Ibère reste donc isolée : Ausonie ne veut pas de son alliance, Austrasie se tourne du côté de Francion, qui offre à Germanique une paix séparée (129) : Europe est déjà heureuse de cette paix séparée, qui annonce la paix générale. Elle conclut en s'adressant aux nations belligérantes :

«Je vous aimerai tous, vous êtes tous mon sang.
Ibère l'est aussi; s'il étouffe sa flamme
Je lui réserve encore une place en mon âme.»

Europe est pour une part une réponse à la campagne de presse acharnée que menaient contre lui les ennemis du Cardinal; l'avertissement du libraire est formel (130). Il ne fait qu'exprimer la pensée de Desmarets et du Cardinal; peut-être reprend-il leurs termes mêmes. On sait que le Roi et le Cardinal donnaient à l'occasion des articles à la *Gazette*; ils ne pouvaient guère se désintéresser d'un texte aussi important que cet avertissement, de ton volontairement mesuré.

Europe est surtout une évocation de quatorze ans de politique étrangère, de la lutte pour abattre l'hégémonie espagnole et pour contrer les menées espagnoles en France même. Cela commence avec la prise de la Rochelle (1628) et avec en Italie la victoire de Louis XIII forçant le Pas de Suze, obligeant ainsi les Espagnols à battre en retraite devant Casal, et cela se termine avec le dernier grand succès, l'occupation de Sedan.

Il est un point sur lequel la politique du Cardinal était particulièrement attaquée, son alliance avec des protestants, dont la Suède (131). *Europe* justifie cette alliance :

«Ces invincibles cœurs
Qui tiennent un beau rang entre mes défenseurs
S'ils n'ont point comme nous d'autels, de sacrifices,
Pour le moins, comme Ibère, ils n'ont point d'artifices.
Ils disent franchement ce qu'ils pensent des Dieux,
Et l'autre [Ibère] en m'opprimant fait le religieux.
Par eux je me maintiens et m'affranchis d'outrage
Et plaignant leur erreur, j'admire leur courage.»

Europe est à la fois le bilan et la justification de la politique extérieure menée par la France depuis des années; c'est aussi l'offre d'une paix générale qui rétablirait un concert européen.

L'offre est faite avec le désir de désarmer les animosités, de blesser le moins possible. Les propos sont parfois durs, mais non blessants, et surtout non blessants pour les souverains : il est précisé que les vices des personnages de la pièce sont ceux des nations, et non ceux des Princes qui les gouvernent : Ibère est l'Espagnol en général, non le roi d'Espagne ,dit l'Avertissement.

Comment se serait poursuivie cette offensive de paix si le Cardinal avait vécu plus longtemps, on ne sait. On peut bien imaginer que sa mort a retardé de plusieurs années les traités de Westphalie (1648) et de plus longtemps encore la Paix des Pyrénées (1659), aboutissement logique du conflit franco-espagnol et de la politique de Richelieu (132).

On voit maintenant comment s'est développé ce théâtre inspiré par Richelieu. Le Cardinal avait trouvé d'abord dans le théâtre un dérivatif à ses préoccupations politiques, une distraction. Il s'est aperçu que ce pouvait être une arme politique, d'où *Mirame* et *Europe*.

On portera en définitive au crédit du Cardinal une petite œuvre dramatique et une grande impulsion théâtrale.

Une petite œuvre. Qu'il se soit cru l'étoffe d'un poète de théâtre, c'est hors de doute. «Il n'aimait que les vers. Un jour qu'il était enfermé avec Desmarets que Bautru avait introduit chez lui, il lui demanda : «A quoi pensez-vous que je prenne le plus de plaisir ? – A faire le bonheur de la France, lui répondit Desmarets. – Point du tout, répliqua-t-il, c'est à faire des vers. Il eut une jalousie enragée contre *Le Cid* à cause que les pièces des Cinq Auteurs n'avaient pas trop bien réussi. Il ne faisait que des tirades pour des pièces de théâtre, mais quand il travaillait, il ne donnait audience à personne. D'ailleurs il ne voulait pas qu'on le reprît.» (133)

Il était, et se voulait de la race irascible des poètes. Mais plus qu'un autre en mesure de se faire écouter, il n'a pas abusé de cette supériorité et s'efforçait à garder quelque chose de confraternel. «Pour l'ordinaire, il traitait les gens de lettres fort civilement... Vingt fois il a fait couvrir et asseoir Desmarets dans un fauteuil comme lui, et voulait qu'il ne l'appelât que Monsieur.» (134)

Ses occupations d'homme d'État ont fait qu'il a été un peu auteur personnellement, beaucoup par procuration, avec l'aide des Cinq Auteurs, à qui l'histoire littéraire a accordé une importance à notre avis excessive; beaucoup en encourageant et en utilisant Desmarets que l'histoire littéraire oublie trop.

Œuvre non irremplaçable, mais intéressante surtout parce qu'on voit le Cardinal s'avisant que le théâtre, qui n'était d'abord pour lui qu'un divertissement et une évasion, pouvait devenir un instrument de gouvernement, et une arme pour servir sa propagande et combattre toute une littérature d'opposition qui l'attaquait si obstinément. La modeste *Gazette* mise à part, les moyens d'expression manquaient; le théâtre méritait de n'être pas négligé.

Il est homme de rigueur. Lui-même et son entourage, dont Chapelain, ont orienté le théâtre vers les règles et les bienséances. Ses goûts le portaient vers la comédie et la tragi-comédie, non vers la tragédie. Cela peut surprendre. Modestie ? Sentiment de ses limites ? Ce n'est guère son genre; cet éloignement de la tragédie reste inexplicable. Il y a pourtant une tragédie de style Richelieu, nous y reviendrons.

Sa grande impulsion novatrice se marque dans bien des domaines. Dans le domaine de la loi : la réhabilitation du métier de comédien est sanctionnée par la déclaration royale du 16 avril 1641.

Dans le domaine des mœurs aussi : la reconnaissance de l'innocence du théâtre et de son utilité sociale va de pair avec la réhabilitation du métier de comédien. Un cas particulier, délicat, litigieux est celui des farceurs et des comédiens italiens : ils semblent bien être visés, sans être nommés, dans des réserves de la déclaration de 1641 (135).

Du vivant du Cardinal le théâtre ne sera pas l'objet d'attaques et cette immunité se prolongera longtemps. Les attaques contre le théâtre ne deviendront systématiques qu'une génération plus tard et d'abord de la part des Jansénistes, avec Nicole, *De la Comédie* (1666),Conti, *Traité de la Comédie* (1666);pour se poursuivre avec les *Réflexions et Maximes sur la Comédie* de Bossuet (1694) lorsque la cour sera devenue dévote. Avec Richelieu, et grâce à lui, une manière de concordat tacite entre les dévots et le théâtre a créé un climat de sérénité favorable au développement du théâtre.

L'impulsion du Cardinal se traduit financièrement dans l'appui accordé à deux troupes. Un mécénat privé existait déjà. Nous connaissons fort peu de choses sur les protecteurs de certains auteurs, de certains comédiens; quelques noms, quelques dédicaces. Nous connaissons fort peu de choses (136) parce que fort peu de choses a existé. Ce mécénat était modeste et intermittent. Un mécénat d'État, plus argenté, vient prendre le relai. Dans ce domaine nous manquent totalement les pièces comptables. Il faut se contenter d'informations dispersées. On entrevoit que des gratifications royales ont dû être accordées à des troupes; des comédiens, qui louent la salle de l'hôtel de Bourgogne, se disent comédiens du Roi (137). On ne sait pas quelle aide ils recevaient. Avec la décision de 1635 (138) commence un autre système, celui de la subvention annuelle. A-t-elle été versée bien régulièrement, on ne le sait pas. Au moins l'idée était-elle lancée que la capitale avait besoin d'un théâtre régulier et de qualité. Il y va du prestige national en face de l'étranger et spécialement de l'Italie.

Le système de subvention inauguré par Richelieu fonctionne régulièrement encore sous Louis XIV. La conséquence de la subvention est un droit de regard du pouvoir sur la composition des troupes subventionnées. Les remaniements de 1634 et de 1642 préludent à l'institution de la Comédie française (1680).

A plus longue échéance le décret de Moscou (1812) se situe dans la ligne du *Projet pour le rétablissement du théâtre français*. Non sans doute que les auteurs du décret eussent connaissance du *Projet*; mais un même esprit dirigiste les inspirait : le théâtre avait une place parmi les institutions officielles. Cet esprit dirigiste est-il une bonne ou une mauvaise chose; on peut en discuter. Il faut constater qu'il est né. Il faut constater aussi qu'il tâchera de s'étendre à la création des œuvres et non pas seulement à la représentation, et là sans doute il faut faire plus de réserves.

L'esprit dirigiste s'est manifesté d'une façon inquiétante dans le jugement du *Cid* et aussi dans le débat plus feutré qui eut lieu à propos d'*Horace*. Cela pouvait aboutir à une tutelle pesante, mais aussi à des discussions profitables. En l'occurrence, à travers les outrances, les mesquineries, les animosités personnelles aussi, des réflexions importantes ont été formulées. Et c'est la première fois dans l'histoire de notre littérature que s'instituait un tel débat. C'est la naissance de la critique dramatique en France, cela grâce à l'intervention de Richelieu et avec sa bénédiction.

A côté de la réflexion critique, se développe aussi une réflexion théorique sur le théâtre, avec aussi les encouragements du Cardinal. Cette réflexion théorique était à peu près inexistante avant lui. Elle a laissé deux textes très dignes d'attention en eux-mêmes, dignes d'attention aussi parce que d'autres textes théoriques, dans le courant du siècle, procèdent d'eux.

Nous avons déjà signalé la *Pratique du théâtre* de l'abbé d'Aubignac (139). C'est un ouvrage que Richelieu a encouragé, passionnément souhaité. Il est important en soi, important aussi parce qu'il fait partie d'une manière de dialogue entre Corneille et d'Aubignac qui s'étend sur des années, deviendra acrimonieux, puis injurieux. Il n'est pas négligeable pourtant et il a remué des idées (140). Il est bien vraisemblable que les trois *Discours* de Corneille (1660), qui sont importants, doivent le jour autant au désir de Corneille de répliquer à la *Pratique du théâtre* qu'à celui d'exposer ses propres réflexions.

A côté de la *Pratique du théâtre* il faut citer l'œuvre d'un académicien très oublié, La Mesnardière (141). D'un grand projet de poétique, encouragé par le Cardinal, n'a été publié, et peut-être écrit, que ce qui concerne la tragédie (1640). Il y aurait intérêt à connaître La Mesnardière. Écrivant ses trois *Discours*, Corneille pourrait avoir assez souvent songé à La Mesnardière, l'auteur de la première grande poétique du théâtre français ?

Le Cardinal a une très haute idée du théâtre. Elle s'est traduite par une œuvre modeste, et sans grand avenir : quelques pièces oubliées. Ce n'était pourtant pas sans importance pour orienter vers le théâtre l'effort des écrivains que le maître donnât l'exemple. Cette haute idée s'est traduite aussi par un effort soutenu de réhabilitation du théâtre, une incitation à la réflexion et à la création, une aide financière que nous pouvons mal préciser, mais qui est certaine. Grâce à Richelieu, le théâtre a trouvé dans la cité une place qu'il devait conserver. Le bilan de son action est donc très largement favorable et surtout sur un plan que nous pourrions appeler constitutionnel.

Il est beaucoup plus encore sur le plan de la création, sans peut-être que Richelieu et les auteurs contemporains s'en soient sur le moment clairement avisé; mais les années s'écoulant des perspectives différentes s'ouvrent.

Nous nous sommes déjà demandé pourquoi Richelieu ne s'était pas orienté aussi vers la tragédie : aucune tragédie n'a été donnée à versifier aux Cinq Auteurs, et Desmarets n'a écrit que des comédies ou des tragi-comédies. Pourtant dans l'esprit des contemporains existe une hiérarchie bien établie des genres. Vient en tête l'épopée : tout le siècle et notamment deux écrivains de l'entourage du Cardinal s'efforceront de donner à la France l'épopée nationale qu'ils estimaient lui manquer : Desmarets avec *Clovis*, Chapelain avec *La Pucelle d'Orléans*. Presque à égalité avec l'épopée la tragédie : «la plus noble espèce des pièces de théâtre» écrit Chapelain.

Il existe pourtant une tragédie de style Richelieu : si elle n'est pas l'œuvre du Cardinal elle est largement tributaire du climat politique qu'il a fait régner, et elle se développe dans son entourage, sans doute pas le plus immédiat, dans son entourage tout de même.

Le climat politique ? Des complots en chaîne qui font peser la menace constante de la guerre civile et de l'assassinat politique, des répressions brutales, le problème de la raison d'État posé en permanence; le climat enfièvré par la polémique, climat favorable à la tragédie.

L'entourage ? Deux écrivains tragiques de grande qualité disent l'un et l'autre que le Cardinal est leur «maître». «Maître» au sens politique et juridique ? «Maître à penser» ? Peut-être les deux à la fois.

Ce sont Scudéry : «J'ai l'honneur d'avoir pour maître un homme qui mériterait de l'être de tout le monde», dit Scudéry dans la dédicace à Richelieu de *La Mort de César* (1636) qui est une fort belle pièce. Et Corneille, qui désigne ainsi le Cardinal, «votre maître et le mien»,lors de la querelle du *Cid* (142). Ils étaient l'un et l'autre des «pensionnaires» du Cardinal.

Il nous emmènerait beaucoup trop loin, et passablement en dehors de notre sujet, de faire l'histoire des rapports humains entre le ministre et le poète. Il faudrait, si on le faisait, laisser à Corneille la conclusion :
«Il m'a fait trop de bien pour en dire du mal
Il m'a fait trop de mal pour en dire du bien.»

Quant aux rapports intellectuels entre le poète et le ministre, si éloigné de lui par l'âge, — le Cardinal a vingt ans de plus — l'expérience des affaires, l'importance dans le monde, ils existent, et ils sont même remarquables.

On ne saurait lire de trop près la dédicace d'*Horace* au Cardinal. Corneille fait d'abord état de «tant dc bienfaits reçus» du Cardinal. Il veut oublier que le Cardinal ne lui a pas toujours été favorable lors de la querelle du *Cid* et l'a obligé à accepter un jugement dont il ne voulait pas. Au reste *Le Cid* a été dédié à la très puissante nièce, Mme de Combalet. Il insiste sur «le changement visible qu'on remarque en [ses] ouvrages depuis qu'il a l'honneur d'être à Son Éminence. Qu'est-ce autre chose qu'un effet des grandes Idées qu'elle m'inspire quand elle daigne souffrir que je lui rende mes devoirs.»

Le poète se vante ainsi d'être reçu en audience par le ministre, inspiré par lui. Certes les dédicaces sont d'ordinaire flatteuses, quelquefois flagorneuses : c'est un peu la loi du genre. Nous croyons que celle d'*Horace* mérite d'être prise au sérieux : d'abord parce qu'en écrivant au Cardinal on devait peser ses mots. Ensuite parce qu'il y a une très remarquable parenté de climat idéologique entre la tragédie cornélienne et un très grand livre de Richelieu, son *Testament politique*.

Non sans doute que Corneille ait été dans le secret de cet ouvrage et qu'il ait pu le lire, mais les audiences accordées par le Cardinal et la pénétration politique du poète expliquent des résonances communes : l'idée que l'intérêt public prime les intérêts individuels (143), l'idée que l'indulgence est une faute politique, l'idée que le grand homme est isolé de la foule, qu'il n'est justiciable que de ses pairs, les «âmes peu communes». En bref une morale très aristocratique fondée sur la primauté de la raison d'État est le lien profond entre Corneille et Richelieu; et l'influence ne peut être que de l'aîné au cadet.

Sans que le poète ni le ministre s'en doutent, le plus beau résultat obtenu par Richelieu dans sa politique théâtrale pourrait bien être le théâtre cornélien. Et comme le théâtre cornélien a provoqué une émulation qui commande largement le développement ultérieur de notre théâtre, on voit que le Cardinal est à l'origine d'une réaction en chaîne que sa mort (4 décembre 1642) n'arrête pas.

Nous voudrions laisser le dernier mot à une contemporaine lucide et informée, Mademoiselle de Scudéry : «Le fameux

Armand [...] grand protecteur de la vertu et des Muses [...]. Grâce à lui, Musique, Architecture, Peinture, Poésie et particulièrement la Comédie prendront un nouvel éclat et tout ce qui se fera de beau même après sa mort devra être regardé comme une chose qu'il aura causée.» (144)

♦♦♦

NOTES

1 — Tallemant des Réaux, *Historiettes*. Bibliothèque de la Pléïade, I, 344.

2 — Sur les salles, leur localisation, voir les études de Mme Deierkauf-Holsboer, sur le Marais et l'Hôtel de Bourgogne.

3 — Dans la *Gazette* du 15 décembre 1634, un article intitulé : «La jonction des acteurs de la troupe de Mondori à celle de Bellerose», — N'en déplaise aux rabats joie, l'étendue de mes récits n'étant pas limitée dans le détroit d'une gravité toujours sérieuse, comme l'une de leurs utilités est de servir au divertissement, ils ne doivent pas bannir les choses qui y servent. Et par ainsi je ne vous dois pas taire que le soin que Sa Majesté a voulu prendre de joindre à la troupe de Belle Roze les six acteurs que vous avez en lettre italique pour les distinguer des autres en leur liste que voici. Les hommes : Belle Roze, Belle Ville, *L'Espy, Le Noir*, Guillot Gorju, Saint Martin, *Jodelet, La France* ou *Jacquemin*, Jadot, *Alizon*. Les femmes : La Belle Roze, La Beaupré, La Vaillot, *La Noir*. Cette vieille troupe fit sa rentrée à l'Hôtel de Bourgogne le 10 du courant [...] «tandis que Mondori, ne désespérant point pour cela du salut de sa petite république, tâche à réparer son débris et ne fait pas moins espérer que par le passé de son industrie.» — On remarquera que le journaliste s'excuse d'accorder dans son journal une place à quelque chose d'aussi futile que le théâtre. Il n'éprouvera plus le besoin désormais de s'excuser : le théâtre a reçu une bénédiction officielle.
Le 14 décembre, une ordonnance royale ordonnait à François Chastelet dit Beauchasteau de se joindre à la troupe de Mondory. Voir Avenel, *Lettres de Richelieu*, IV, 645.
On verra dans Deierkauf-Holsboer, *Théâtre du Marais*, I, chap. II une discussion sur la composition des troupes après ces remaniements. Voir aussi Tallemant, II, 774-776 et les notes d'A. Adam.
Un autre remaniement aura lieu en 1642. Voir l'acte d'association dans Deierkauf-Holsboer, *Théâtre du Marais*, I, 182.

4 — Le titre de «Comédiens du Roi , comédiens ordinaires du roi, comédiens ordinaires ès gages de Sa Majesté» est attesté depuis 1599. Ce que sont ces gages, on nc le sait pas. Il s'agit alors des comédiens jouant à l'Hôtel de Bourgogne.

La subvention versée à Mondory est détaillée dans une lettre de Charpentier, secrétaire du Cardinal, à Bouthillier, surintendant des finances : «De Ruel, ce 8 décembre 1634. Les compagnons de Mondori se plaignent de ce qu'il est un Arabe en matière de finances. M. Bouthilier distribuera l'argent qu'il sait ainsi qu'il s'ensuit. Deux cents écus à Villiers et à sa femme. Trois cents pour le paiement de trois mois du tripot [de la salle] qui coûte cent écus par mois. Et cinq cents écus à Mondory pour lui-même.»Avenel, *Lettres... de Richelieu*, V, 644-645.

Les subventions sont les mêmes en 1641 : 12.000 livres à l'Hôtel de Bourgogne, 6.000 livres aux comédiens du Marais. E. Fournier, *Théâtre français*, p. 285.

5 — «Le Cardinal après que Mondory eut cessé de monter sur le théâtre faisait jouer les deux troupes ensemble chez lui et avait dessein de n'en faire qu'une.» Tallemant, II, 776.

6 — Sur Boisrobert, voir Émile Magne, *Le plaisant abbé de Boisrobert*, Paris, Mercure de France, 1909. Les références abondent dans ce livre indispensable, mais vieilli. L'utilisation et le commentaire des textes sont parfois discutables. — On verra aussi l'historiette de Boisrobert dans Tallemant, Pléiade, t. I, p. 392 et les notes. Une nouvelle étude sur Boisrobert serait utile.

7 — Mathieu de Morgues, *Remontrances de Caton chrétien au C^{al} de Richelieu*. Dans E. Thuau, p. 123.

8 — Sur Mondory, voir E. Cottier, *Mondory*, 1937 et dans Tallemant «Mondory ou l'histoire des principaux comédiens français», éd. Pléiade, II, 773 et suiv. — Ordinairement, les comédiens jouaient aussi bien dans la grande pièce, tragédie ou tragicomédie, que dans la farce qui complétait le programme.

9 — Lettre du 15 décembre 1636.

10 — Pour cette excommunication des comédiens, voir J.P. Carmes, *Leçons exemplaires*, 1632, leçon X, p. 461. «Ce n'est pas sans raison qu'en Italie, en France, et presque partout, les histrions ou comédiens sont tenus pour infâmes; les lois mêmes les déclarent tels pour plusieurs raisons que chacun sait.» Des «réhabilitations» de comédiens ont été conservées. Ainsi celle de François de Vautrel, «pourvu par Sa Majesté d'un office de fourrier de sa grande écurie» reçoit «permission

de tenir et exercer charges et dignités honorables sans que le nom de comédien, dont il a ci-devant fait profession puisse lui être objecté ni imputé.» juin 1620. — Voir d'autres réhabilitations citées dans Livet, *La fameuse comédienne*, 1872.

11 — Les premiers registres de l'Académie sont tenus à partir de mars 1634. Les Lettres patentes instituant l'Académie ne sont que du 25 janvier 1635.

12 — Chapelain, *Lettres*, I, 92.

13 — «J'ai l'honneur d'avoir pour Maître un homme [Richelieu] qui mériterait de l'être de tout le monde.» Dédicace de *La Mort de César* à Richelieu, 1636. — Ce mot «Maître», pour désigner le grand protecteur, se retrouve sous la plume de Corneille : «J'aime mieux les bonnes grâces de mon Maître que toutes les réputations de la terre», A Boisrobert, 23 déc. 1637. Et s'adressant à Scudéry dans la *Lettre apologétique*, «Mgr. le Cardinal, votre maître et le mien».

14 — *Les Œuvres de Bruscambilles contenant ses fantasies, imaginations et paradoxes*, Rouen, 1635. Bibliothèque Ville de Lyon 318344 Res. — Dans ce même volume, un autre des entretiens, «En faveur de la scène», énumère les grands personnages qui ont protégé le théâtre mais s'arrête au XVIe siècle. Voir aussi, p. 327, «Des accidents comiques.» — La bibliographie de Bruscambille est difficile à établir. Il est peut-être mort en 1635. Il n'en est pas moins significatif que dans une réédition de ses œuvres aient été introduits des propos d'actualité, qu'ils soient de lui ou d'un autre.

15 — Voir cette déclaration dans Isambert, *Recueil des anciennes lois*, t. XVI, p. 536.

16 — Tallemant, I, 272. Tallemant poursuit : «Une fois que l'Estoile, moins complaisant que les autres, lui dit le plus doucement qu'il put qu'il y avait quelque chose à refaire à un vers. Ce vers n'avait seulement que trois syllabes de plus qu'il ne lui fallut. Là, là, monsieur de l'Estoile , lui dit-il comme s'il eût été question d'un édit, nous le ferons bien passer.»

17 — *Remontrances du Caton chrétien*, cité par Thuau, p. 123.

18 — Sur l'abbé d'Aubignac (1604-1673) une thèse ancienne de Ch. Arnaud (1888). Il mériterait d'être réétudié. Sa *Pratique du théâtre* et son *Projet pour le rétablissement du théâtre français* ont été réédités par Pierre Martino en 1927. Bonne édition qui mériterait réimpression. — La *Pratique* s'écrit en 1640 (Voir Chapelain, lettre du 8 mars 1640 à M. de Montansier). «Ce fut pour complaire [à Richelieu] que je

dressai la *Pratique du théâtre* qu'il avait passionnément souhaitée»
dit d'Aubignac, éd. Martino, p. 16. — «Il s'oblige à la mettre au jour
prochainement», dit l'Avis au lecteur de la *Dissertation sur Térence*,
1640, et ce «pour satisfaire aux désirs d'une personne importante en
mérite et en condition.» — Quant au *Projet* on peut le dater de la
même époque, des années 1640. Il appelle de ses vœux une déclaration en faveur des comédiens (p. 394 Martino) et cette déclaration
interviendra en mai 1641. Ce projet a pu être retouché après la mort
du Cardinal : d'Aubignac parle constamment de «feu Mr. le Cardinal.»

19 — Ordonnance du Lieutenant civil dans *Gazette* n° 9, 26 janvier 1641.

20 — Ce programme n'est pas sans faire penser au décret de Moscou «sur la
surveillance, l'organisation, l'administration, la comptabilité, la police
et discipline du Théâtre français.» 15 octobre 1812. Dans *Bulletin des
Lois*, n° 469, p. 45 et suiv.

21 — *Pratique*, éd. Martino, p. 7.

22 — *Ibid.*, p. 8.

23 — On trouvera de larges extraits des *Observations sur le Cid* dans l'édition
des Grands Écrivains, XII, 441-461 et dans l'édition de la Pléiade, t. I,
p. 782-799.

24 — Article 45 des *Statuts et Règlements de l'Académie française*, signés de
Richelieu, son protecteur et de Charpentier, imprimés en 1708 seulement. Lorsque le Parlement vérifie le 10 juillet 1637 les lettres patentes (1635) instituant l'Académie, il met comme condition que «ceux
de ladite assemblée... ne connaîtront que des livres qui seront par eux
faits et par autres personnes qui le désireront et voudront», (Pellisson,
Relation contenant l'histoire de l'Académie française, 1653, p. 44).

25 — Lettre du 17 juin 1637. — Toute cette histoire est connue par la *Relation
contenant l'histoire de l'Académie Française de Pellisson*. Cette Relation est publiée en 1653. Tous les écrivains cités sont encore vivants et
aucune protestation n'a été élevée par eux. On peut donc faire confiance à Pellisson qui avait d'ailleurs à sa disposition les registres de
l'Académie aujourd'hui disparus.

26 — On trouvera le détail de cette affaire dans l'éd. Pléiade de Corneille,
t. I, p. 1457 et suiv.

27 — Ce manuscrit est le ms français 15045 de la B.N. — Pellisson pensait
que seul le premier mot d'une des apostilles était de la main du Cardinal. Marty-Laveaux a cru reconnaître dans quatre la main de Richelieu, celle de son secrétaire dans les autres (voir éd. des Grands Écri-

vains, III, 34). C'est sans importance : le secrétaire écrivait sous la dictée du maître.

28 — Barreau, on écrit d'ordinaire Baro, est romancier et auteur dramatique. Ancien secrétaire d'Honoré d'Urfé, il a donné une suite à l'*Astrée*. Charpy de Sainte-Croix vient de publier *Le Juste Prince ou le Miroir des Princes ou la Vie de Louis XIII*. Il tournera à la dévotion. On le présente comme le modèle, ou l'un des modèles de Tartuffe.

29 — Chapelain à Balzac, 18 novembre 1640.

30 — «La mort de Camille par la main d'Horace son frère n'a pas été approuvée au théâtre bien que ce fût une aventure véritable, et j'avais été d'avis, pour sauver en quelque sorte l'histoire et tout ensemble la bienséance de l'histoire, que cette fille désespérée, voyant son frère, l'épée à la main, se fût précipitée dessus; ainsi elle fût morte de la main d'Horace, et lui eût été digne de compassion comme un malheureux innocent. L'histoire et le théâtre auraient été d'accord.» *Pratique*, p. 68.

31 — «Dès l'année passée [1639] je dis [à Corneille] qu'il fallait changer son cinquième acte des *Horaces* et lui dis par le menu comment; à quoi il avait résisté toujours depuis, quoique tout le monde lui criât que sa fin était brutale et froide... Enfin de lui-même il vint me dire qu'il se rendait et qu'il le changerait.» Chapelain 18 nov. 1640. En définitive Corneille ne changea pas son dénouement.

32 — Pellisson, *Relation*, voir éd. Pléiade de Corneille, I, p. 807.

33 — D'Aubignac, *Quatrième dissertation* [...] *servant de réponse aux calomnies de M. Corneille*, 1663.

34 — D'Aubignac, éd. Martino de la *Pratique*, p. 379. — *Penthée* a dû être jouée dans la saison 1637-1638. Privilège du 23 février 1638, achevé d'imprimer du 10 mai 1639. Dédiée à Henri de Lorraine, archevêque de Reims. — On trouvera une analyse de *Penthée* dans Rigal, *Hardy et le théâtre français*, Paris, 1889, p. 303-308.

35 — Sur la façon dont a été composé le *Testament politique*, voir édition L. André, 7e éd., 1949, p. 57 et suiv.

36 — Louis Racine, *Mémoires sur la vie de Jean Racine*, éd. des Grands Écrivains, t. I, p. 268.

37 — Lettre à l'abbé de Pure, 25 août 1660.

38 — Fontenelle, *Vie de Corneille*, éd. Intégrale, p. 23.

39 — Le débat sur la prose ou les vers au théâtre est ancien. Déjà Charles Estienne, Pierre Larrivey, Honoré d'Urfé demandent que les deux

soient admis (voir Arnaud, *La vie et les œuvres de l'abbé d'Aubignac*, 1887, p. 145). D'Aubignac s'élevait contre l'invraisemblance des vers dans la poésie dramatique, dans une préface à *Zénobie*, qui contenait l'apologie de la prose contre les vers, mais l'éditeur ne peut, dit-il, lui l'arracher des mains. Dans une *Dissertation* contre Corneille, il tient à faire savoir que sa préférence pour la prose ne vient pas de son impuissance à faire des vers. «Quand il me plait, j'en fais qui ne déplaisent pas. [...]. Si j'avais voulu les appliquer à diverses tragédies que j'ai faites en prose, pour justifier à M. le Cardinal de Richelieu que je connaissais la justesse et la beauté des règles, peut-être n'eussent-ils pas eu moins d'applaudissements que *Zénobie* [tragédie en prose].»— Autres partisans de la tragédie en prose : La Serre, Du Ryer, Scudéry, Chapelain qui voit dans l'emploi des vers au théâtre une survivance barbare, une absurdité capable «de lui faire perdre l'envie de travailler jamais à la poésie scénique.» Lettre du 29 novembre 1630.
— Pour Scudéry voir Frères Parfaict, VI, 263-264. — On trouvera une liste des tragédies en prose de la période 1639-1645 dans l'éd. Martino de la *Pratique du théâtre*, p. XXIII, n. 3. — Ajoutons que toutes les tragédies en prose que nous avons lues sont en une prose parfaitement prosaïque, sans aucun effort vers un langage poétique ou rhétorique.

40 — «Se dit figurément en morale des avis... on dit d'un homme ingénieux, inventif, qu'il a de belles ouvertures d'esprit.» Furetière.

41 — D'Aubignac, *Quatrième dissertation*.

42 — *Cyminde ou les deux victimes, tragédie en prose*, privilège 10 mars 1642, achevé 13 mars, de d'Aubignac. — *Cyminde ou les deux victimes*; en vers, de Colletet, privilège 8 avril 1642, achevé 8 mai. La pièce est dédiée au Cardinal de Richelieu et a été jouée dans son palais. — *La Pucelle d'Orléans, tragédie en prose selon la vérité de l'histoire et les rigueurs du théâtre*, privilège 10 mars 1642, achevé 11 mars, est de d'Aubignac. Une transcription en vers (privilège avril 1642, achevé 15 mai) est de Benserade ou de La Mesnardière. Voir H.C. Lancaster, II, I, p. 360.
Il y a d'autres exemples d'une répartition du travail entre l'auteur et l'invention et de la disposition et l'auteur des vers. «*Palène* est une comédie desseignée par l'abbé d'Aubignac et exécutée par celui de Châtillon [Boisrobert]» écrit Chapelain à Balzac, 26 septembre 1635. — *Didon* de Boisrobert a été faite sur une «disposition» donnée par l'abbé d'Aubignac, dit Corneille dans l'avis au lecteur de *Sophonisbe*. — Chapelain parle d'une comédie qui n'est «sienne que pour l'invention et la disposition. Le vers est de Rotrou». Lettre à Balzac, 17 février 1633.

43 — Quelques vers de Colletet dans la *Comédie des Tuileries* enthousiasmè-
rent le Cardinal :

«J'ai vu sur le bord d'un ruisseau
La cane s'humecter de la bourbe de l'eau,
D'une voix enrouée et d'un battement d'aile
Animer le canard qui languit auprès d'elle.»

Ils valurent à Colletet une gratification de cinquante pistoles, dit Pellisson, *Relation*, 1653, p. 181.

44 — «*La Comédie des Tuileries* dont [le Cardinal] avait agencé lui-même
toutes les scènes. Corneille plus docile à son génie que souple à la volonté d'un premier ministre crut devoir changer quelque chose dans le
troisième acte qui lui fut confié. Cette liberté estimable fut envenimée
par deux de ses confrères et déplut beaucoup au Cardinal qui lui dit
qu'il fallait avoir un esprit de suite. Il entendait par esprit de suite la
soumission qui suit aveuglément les ordres d'un supérieur.» Voltaire,
Préface historique sur Le Cid.

45 — Tallemant, I, 272.

46 — Chapelain, *Lettres*, éd. Tamisey de Laroque, I, 84. La lettre de Chapelain n'indique pas le titre de la pièce mais la date (entre novembre
1634 et janvier 1635) ne permet pas de songer à autre chose qu'à *La
Comédie des Tuileries.*

47 — *Ibid.*, p. 89.

48 — Colletet (1598-1659) est déjà connu pour ses *Divertissements poéti-
ques.*

49 — Chapelain à Boisrobert, février 1635. Le quantième est resté en blanc.

50 — Pellisson, *Relation contenant l'histoire de l'Académie française*, 1653,
p. 181.

51 — L'Estoile (1597-1652) est poète. Il collabore au *Sacrifice des Muses au
grand Cardinal de Richelieu* et au *Parnasse Royal.* (Sur lui A. Adam,
Littérature au XVIIe s., I, 360-362). — Rotrou est le plus jeune des
cinq (1609-1650). Il est déjà connu comme auteur dramatique, four-
nisseur de l'Hôtel de Bourgogne.

52 — Sur les pensions que Richelieu accordait aux «gens signalés soit en la
Poésie, l'Histoire ou dans quelque art que ce fût» nous sommes mal
renseignés. Aubery dans son *Histoire du Cardinal de Richelieu*, 1680,
in fol., p. 609-611 donne une liste dans laquelle il a remarqué Chapelain, Scudéry, Colletet, Baro, Rotrou, L'Estoile, Tristan, Corneille.
On le voit, les Cinq Auteurs y sont. Il indique que ces pensions étaient
de 400, 600, 900, 1000, ou 1200 livres. — Étaient-elles toujours régu-

lièrement payées ? On voit Boisrobert solliciter beaucoup en faveur de ses amis pensionnés, mais ses «sollicitations ardentes» sont accueillies avec froideur étant donné «la disette où se trouvent les royales finances» (Chapelain à Balzac, 29 avril 1640). On ne sait pas non plus sur quels fonds elles étaient assignées. «Royales finances» dit Chapelain. Si l'on voulait croire un témoignage tardif de Segrais, *Mémoires anecdotes*, dans *Œuvres diverses* de 1723, I, 170 le Cardinal aurait prélevé sur ses revenus les 40.000 écus qu'il consacrait aux pensions des écrivains. – On possède l'État de sa maison pour l'année 1639, publié par Deloche, 1912. Les pensions n'y figurent pas. Selon Deloche l'état spécial des pensions dressé par Richelieu lui-même était resté entre les mains de la duchesse d'Aiguillon. Y a-t-il quelque espoir de retrouver cet état ?

53 – Monglat, *Mémoires*, dans Michaud-Poujoulat, XXIX, p. 44.

54 – Marescot cité par M. Poète, *Paris devant la menace étrangère*, p. 147.

55 – Tallemant, I, 248. Sur l'auteur de la *Milliade* voir la note d'A. Adam. La *Milliade* a été réimprimée dans Fournier, *Variétés*, IX, p. 1617. Tallemant date de 1636 la *Milliade*, ce qui concorde d'ailleurs bien avec la date de la prise de La Capelle par les Espagnols (9 juillet 1636). Mais on comprend mal le pluriel «ses comédies», puisque *La Comédie des Tuileries* seule a vu le jour.

56 – Bellerose est le principal acteur de l'Hôtel de Bourgogne.

57 – *Gazette*, 10 janvier 1637.

58 – Lettre adressée par un de ses informateurs à Mazarin, citée par L. Lacour, *Richelieu dramaturge*, p. 43.

59 – La *Grande Pastorale* et *L'Aveugle de Smyrne* ont peut-être une histoire plus compliquée que nous ne le pensons. Des lettres de Mazarin ont été utilisées par G. Dethau dans son *Mazarin*, 1980, p. 118 et 133. Mazarin alors légat à Avignon continue d'envoyer des conseils pour les spectacles de la Cour de France et même se mêle de composer des livrets de comédies musicales. «Mais quand je pense à celle de l'*Aveugle* [«Philarque, l'amant aveugle»] et à la *Pastourelle* les bras m'en tombent et le cœur me manque.» 19 février 1636 et 22 avril 1636. – Selon une lettre de Mazarin du 16 mai 1637 et des lettres de Charles des 18-25 mars 1637, le Cardinal ordonne à Boisrobert de faire traîner jusqu'au retour de Mazarin la comédie de *Philarque l'amant aveugle*. C'est une comédie à machines «avec les plus beaux décors et changement de scène jamais utilisés en France. On y voyait s'ouvrir en un instant le temple de Diane, avec une perspective d'arcs et de parements de mar-

bre et dans le fond la statue de la déesse.» — Il me paraît certain que cette comédie *Philarque, l'amant aveugle* est celle que nous avons sous le titre de *L'Aveugle de Smyrne*. L'amant dans cette pièce s'appelle Philarque, devient aveugle, retrouve la vue, et il y a un temple de Diane dans le décor. Voir analyse de la pièce ci-après. A ce compte on est tenté d'identifier la *Pastourelle* avec la *Grande pastorale*. Les deux pièces existent donc dès février 1636, un an avant la grande représentation du 22 février 1637. — A ce compte aussi, il faudrait réserver une place à Mazarin dans l'histoire du théâtre de Richelieu et se dire que les archives des Affaires étrangères, où sont conservées les lettres utilisées par G. Dethau, ont peut-être encore des choses à nous apprendre.

60 — Lettre de Gui Patin citée et commentée par R. Pintard, *Pastorale et comédie héroïque chez Richelieu*, R.H.L., 1964, p. 447-461. Il estime que 100.000 écus valent 1.800.000 francs en 1964.

61 — Ceci est dans un pamphlet paru lors de la querelle du *Cid*, l'*Avertissement au Besançonnois*. [Mairet]. Voir éd. Marty-Laveaux de Corneille, III, 75.

62 — Pellisson, *Relation*.

63 — Témoignage d'un informateur de Mazarin dans Lacour, *Richelieu dramaturge*, p. 48.

64 — Ce prologue, assez sommaire est dans les papiers de Le Masle des Roches, un secrétaire de Richelieu, B.N. Fd Fs 23340 fol. 134 et suiv. Il a été reproduit par L. Lacour, *Richelieu dramaturge*, p. 50-51, qui l'accompagne d'un commentaire dénigrant. Voir plutôt Lancaster, *A history of French dramatic literature*, II, 1, p. 207-208.
Pour bien comprendre ces pièces, qui toutes se réclament de l'unité de lieu, il faut se rappeler comment l'unité de lieu était alors comprise, et feuilleter aussi le manuscrit de Mahelet, décorateur de l'Hôtel de Bourgogne qui donne des dessins de décors de cette époque. *L'Aveugle de Smyrne* pas plus que *La Comédie des Tuileries* ne figurent dans Mahelot, mais leur système de décor était certainement le même. Pour ces pièces, comme aussi bien pour *Le Cid*, le décor multiple réunit palais, temple, un jardin contigu à un bois et l'action se déplace d'un de ces lieux particuliers à l'autre. On peut parler à travers la porte de la prison sans se voir et se reconnaître; mais la porte de la prison peut aussi s'ouvrir et alors, par convention, le devant de la scène est considéré comme une partie du «lieu» dans lequel l'action s'est alors transportée.

65– Baudoin mériterait une étude dans le cadre général d'une étude sur la symbolique et l'allégorie au XVIIe siècle qui nous manque.

66 – *La Comédie des Tuileries* est dédié à Sir Kenehn Digby, un favori du roi d'Angleterre Charles Ier. *L'Aveugle de Smyrne* au marquis de Covalin, colonel des Suisses. Ce doit être celui dont on écrit d'ordinaire le nom Coislin.

67 – Nous avons proposé dans l'édition de Corneille à la Pléiade, I, 1412-1413 une explication que nous résumons. Des Rouennais dont les frères Campion, que Corneille connaît, se réunissaient pour des *Entretiens*, qui ont été publiés en 1704. Le neuvième, «De la conduite du ministre» renferme cette phrase qui raille les ambitions théâtrales de Richelieu : «Que diriez-vous du temps et de l'assiduité au travail qu'il a depuis peu employé à la composition de la tragicomédie où il dépeint avec tant d'art les tendres sentiments d'une passion qui n'est divine que parmi les Poètes profanes et où ne se fiant pas à ses propres lumières il a mendié le recours de tous nos plus délicats versificateurs à la réserve de ce poète notre ami, qui a été exclu de la société des artisans de ce chef d'œuvre pour n'avoir pu assujettir la force et la sublimité de ses pensées toutes libres à des conceptions si délicates et si spiritualisées qu'elles n'avaient pas assez de corps pour se soutenir elles-mêmes et qu'il voulait toutefois faire servir de fondement aux vers auxiliaires qu'il lui demandait.»
L'édition de 1704 indique en note que l'auteur est Corneille et la pièce *Mirame*. Il ne peut pas s'agir de *Mirame* qui est de Desmarets. La seule tragicomédie pour laquelle les Cinq-Auteurs ont travaillé est *L'Aveugle de Smyrne*. Nous pensons donc que l'annotateur a commis une confusion. C'est lorsque *L'aveugle de Smyrne* a été donné à versifier que Corneille s'est retiré ou a été prié de se retirer. Vient le moment de la publication (1638; achevé 17 juin sur privilège du 28 mai). Pierre Corneille avait fait défection ou avait été éconduit. Mais la *Gazette* avait toujours parlé des Cinq Auteurs : on pense qu'il n'est pas possible de renoncer à ce titre «par les cinq auteurs» qui était devenu officiel, sans provoquer des commentaires sans bienveillance : la formulation est donc maintenue au titre des deux pièces publiées simultanément, *La Comédie des Tuileries* et *l'Aveugle de Smyrne*. Il faut bien pourtant respecter la vérité : discrètement, dans l'avis au lecteur de *L'Aveugle de Smyrne*, Baudoin précise donc «quatre célèbres esprits» ont mis cette pièce en vers.
Comment Corneille s'est-il retiré ? On le sait mal. Cependant un témoignage de Voltaire selon lequel Corneille s'étant permis de changer quelque chose au troisième acte de *La Comédie des Tuileries*, le Cardi-

nal fort mécontent lui avait dit qu'il fallait «avoir l'esprit de suite. Il entendait par esprit de suite la soumission qui suit aveuglément les ordres d'un supérieur.» Le départ a dû se faire discrètement. «Corneille se retira bientôt de cette petite société [les Cinq-Auteurs] sous le prétexte des arrangements de sa petite fortune qui exigeait sa présence à Rouen», dit Voltaire. Nous croirions donc que Corneille a participé à *La Comédie des Tuileries*, pour le troisième acte sans doute; mais non à *L'Aveugle de Smyrne*. (Voir éd. Pléiade, I, 1405-1414).

68 — Tallemant, II, 400.

69 — Tallemant, I, 269-270.

70 — Desmarets, *Les délices de l'esprit*, 2e partie, 1er entretien «Des délices de Fortune». Dans éd. 1659 in fol., p. 104-105.

71 — *Ibid.*, p. 105.

72 — Première édition d'*Ariane*, 1632, 2 vol. in 8°. — Autres éditions à la B.N. 1639, 1643, 1644, 1724. La Fontaine estima que «le roman d'*Ariane* est très bien inventé». Ballade, éd. Clarac des *Œuvres diverses*, p. 586.

73 — *Clovis ou la France chrétienne, poème héroïque* paraîtra en 1657, en 24 chants. Édition somptueuse. Rééditions 1661 et 1673.

74 — Pellisson, *Relation contenant l'histoire de l'Académie française*.

75 — Segrais, «Mémoires anecdotes», dans *Œuvres diverses*, 1723, t. I, p. 200.

76 — *Menagiana*, 1693, p. 462.

77 — Une discussion sur la règle des unités était engagée entre le poète et l'une des Visionnaires, Sestiane amoureuse de la comédie. C'est là sans doute que devaient se trouver des vers qui choquèrent Scudéry et aussi des vers du *Cid*. Il en résulta un «petit scandale» pour nous obscur. Mlle Paulet et Chapelain s'entremirent et le passage incriminé fut supprimé. Nous avons donc une version adoucie, à cet endroit au moins, des *Visionnaires*. Ce petit monde théâtral qui gravitait autour du Cardinal était agité de rivalités, d'animosités, avec des susceptibilités très chatouilleuses. On n'est pas sûr que le Cardinal en était fâché.

78 — Le 18 mars 1639, Desmarets cède son privilège en ce qui concerne *Mirame* au libraire Le Gras.

79 — Nous connaissons cette grande salle par Sauval, *Antiquités de Paris*, 1724, t. II, p. 128, 161-163. Sauval dit à un endroit qu'elle peut

contenir 3.000 spectateurs, à un autre endroit il dit 4.000. Les dimensions de la salle font croire que ces chiffres sont excessifs. Salle rectangulaire : la scène a un bout; 27 degrés de pierre très bas. On ne s'assoit pas dessus : ils servent à porter des formes de bois «qu'on y place aux jours de comédie.» Deux balcons de chaque côté venant finir assez près du théâtre [de la scène]. Selon Sauval dans la petite salle, Richelieu assistait aux pièces de théâtre que les comédiens représentaient ordinairement au Marais du Temple, la grande étant réservée aux comédies de pompe et de parade. Dans le *Molière* de Sylvie Chevalley, aux éditions Birr, p. 59, un tableau de la grande salle. Molière jouera dans cette salle de 1661 à sa mort en 1673. Incendiée en 1763. On entrait par la rue Saint-Honoré. Une plaque sur la façade du Palais-Royal sur la rue de Valois marque son emplacement. – Voir aussi G. Brice, *Description de Paris*, 1684, t. I, p. 48.
Dans Castil-Blaze, *Théâtres Lyriques de Paris; l'opéra italien de 1548 à 1856*, Paris, 1856, p. 62-63, des instructions de Richelieu à Mazarin pour qu'il s'informe des représentations à Florence, Venise, Rome, des costumiers, des décorateurs, visite les théâtres de l'enfer à la volerie, pénètre même dans le camerino des actrices pour s'initier aux mystères de leur toilette. On aimerait que se retrouve l'original d'un document, trop beau pour ne pas inquiéter.

80 – Griffet, *Histoire du règne de Louis XIII*, 1758, t. II, p. 792-793.

81 – Pour toute cette généalogie voir Tallemant, histoire de Richelieu, I, 233 et du maréchal de Brézé, I, 316 et les notes d'A. Adam.

82 – Voir H. Malo, *Le grand Condé*, 1937, p. 63-64.

83 – «Les machines reviendront à plus de 100.000 livres, la salle achevée à 100.000 écus» dit Henry Arnaud, cité par L. Lacour. *Richelieu dramaturge*, p. 110. Ces lettres d'H. Arnaud, inédites, sont à la B.N. ms fol. 20633.

84 – *Mémoires* de Michel de Marolles, abbé de Villeloin. Paris, 1656, p. 125-126.

85 – Montchal, *Mémoires*, 1718, t. II, p. 107. – Tallemant, dans l'historiette de Boisrobert (I, 401) a évoqué une répétition, dans la petite salle. Boisrobert y avait laissé entrer une «petite gourgandine»; cela provoqua un scandale et pour Boisrobert une longue disgrâce. Tallemant donne les mêmes informations sur la première et la façon dont l'évêque de Chartres plaçait les dames dont les noms figuraient sur la liste d'invitations du Cardinal. Cette fonction lui valut le surnom de «maréchal de camp comique.»

86 – A. de Campion, «Lettre à M. le Comte», 21 janvier 1641 dans *Mémoires d'A. de Campion*, éd. Moreau, 1857, p. 354.

87 – Henri Arnaud, cité par Erlanger, *Richelieu*, III, 264.

88 – Tallemant, I, 237 et les notes d'A. Adam.

89 – La Rochefoucauld : «La passion qu'il avait eue depuis longtemps pour la reine s'était convertie en dépit.»
Monglat : «Il l'avait aimée et n'en avait reçu que des rebuts.»

90 – Antoine Arnaud (1616-1698), fils de Robert Arnaud d'Andilly. Il est d'abord militaire, puis devint abbé de Chaunes. – Ses *Mémoires* dans collection Michaud-Poujoulat, 2e série, t. IX.

91 – Voir note 85.

92 – Voir note 86.

93 – L. Lacour, *Richelieu dramaturge* reconnaît que *Mirame* pouvait réveiller le souvenir des scandales de 1625 (l'affaire Buckingham). Mais il considère que la pièce est un gage de réconciliation entre le Cardinal et la Reine (p. 120). *Mirame* est, dit-il, tout le contraire d'une insulte, une flatterie déguisée: Mirame qui mourrait plutôt que de manquer à l'honneur, c'est Anne d'Autriche héroïsée. La fête entière avec la pièce, la collation, le bal lui est dédiée. Richelieu et la Reine sont réconciliés : à la Reine le Cardinal devra les informations grâce auxquelles il écrasera le complot de Cinq-Mars. – Cette argumentation ne nous paraît pas convaincante. Une fête à laquelle assiste la Reine lui est protocolairement dédiée, ce qui ne veut pas dire qu'elle l'est réellement. La réconciliation du Cardinal et de la Reine ressemble beaucoup au baiser Lamourette. Et il semble bien qu'elle a été quelque peu compromise dans le complot de Cinq Mars. «L'éclat et le crédit de M. le Grand [Cinq-Mars] réveille les espérances des mécontents : la *Reine* et Monsieur s'unirent à eux [...]. On ne doit pas pardonner à la *Reine*, à Monsieur ni au duc de Bouillon d'avoir été assez éblouis eux-mêmes pour se laisser entraîner par M. le Grand à ce funeste traité d'Espagne.» (La Rochefoucauld, *Mémoires*, éd. Grands Écrivains, II, 44). «Après la chute de M. le Grand, Richelieu revenait à Paris comme en triomphe; la Reine craignait les effets de son ressentiment» (*ibid.*, p. 47). – Mme de Motteville, (éd. Réaux, I, p. 73), Brienne (*Mémoires*, éd. Michaud-Poujoulat, III, 27), La Rochefoucauld (II, 42) assurent que le Roi voulait enlever ses enfants à la Reine pour les donner à élever, c'est-à-dire en otages, au Cardinal. – Surtout L. Lacour ne tient pas compte de l'affaire du Val-de-Grâce, de la correspondance de la Reine avec des Espagnols, pendant la guerre.

94 – La Rochefoucauld, *Mémoires*, éd. Grands Écrivains, t. II, p. 8 et suiv.

95 – Un portrait de Buckingham par Richelieu mérite d'être cité : «Peu de noblesse de race, mais de moindre noblesse encore d'esprit, sans vertu et sans étude, mal né et plus mal nourri, entre le bon sens et la folie, furieux et sans bornes en ses passions. Sa jeunesse, sa taille et la beauté de son visage le rendirent agréable au roi Jacques et le mirent en sa faveur plus avant qu'aucun autre qui fût en sa cour. Il s'y entretint depuis par toutes sortes de mauvais moyens, flattant, mentant, feignant des crimes aux uns et aux autres, les soutenant imprudemment et quand il ne pouvait trouver invention de rien leur imputer avec apparence, il avait recours au poison.» *Mémoires*, Michaud et Poujoulat, II, 7, p. 415.

96 – Motteville, éd. Réaux, I, 18.

97 – La Porte, *Mémoires*, Michaud et Poujoulat, III, 8, p. 7 et 8.

98 – «Buckingham durant son séjour à Paris fit force galanteries aux dames et même à la Reine régnante; le Cardinal faisait beaucoup la cour à cette princesse; mais le duc étant l'un des deux hommes le mieux fait de son temps et de meilleure mine, plaisait plus et était mieux reçu, ce qui causa de si grandes jalousies entre eux qu'elles furent la source de beaucoup de maux.» Monglat, *Mémoires*, collection Michaud-Poujoulat, 3e série, V, p. 15.

99 – Tallemant, I, 239-241 et les notes très précieuses d'A. Adam. – Retz, informé par Mme de Chevreuse, est plus brutal encore que Tallemant. Le lendemain matin la Reine fit demander à Buckingham «s'il était bien assuré qu'elle ne fût pas en danger d'être grosse.» Éd. Pléiade, p. 721.

100 – La comtesse de Carlile, qui est un espion de Richelieu à la cour d'Angleterre, voit que Buckingham affecte de porter des ferrets de diamant qu'elle ne connaissait pas. «Elle ne douta point que la Reine ne les lui eût donnés.» Dans un bal, elle coupa les ferrets pour les envoyer au Cardinal. Le duc s'aperçoit de la disparition des ferrets, juge que la comtesse les a pris. Il fait fermer les ports d'Angleterre, fabriquer de nouveaux ferrets. Il les envoie à la Reine en lui rendant compte de ce qui est arrivé : «La Reine évita de cette sorte la vengeance de cette femme irritée [la comtesse de Carlile] et le Cardinal perdit un moyen assuré de convaincre la Reine et d'éclaircir le Roi de tous ses doutes, puisque les ferrets venaient de lui et qu'il les avait donnés à la Reine.» La Rochefoucauld, II, 13.

101 – Dans le vocabulaire politique de cette époque, le crédit est l'influence

que quelqu'un doit à sa personnalité, ses relations, la faveur du Roi, et non à une fonction.

102 — Tallemant, I, 288.

103 — Ces vers, improvisés par Voiture, qui avait rencontré la Reine à Rueil, furent publiés pour la première fois dans les *Mémoires* de Mme de Motteville, Amsterdam, 1723.
«Je pensais que la destinée / Après tant d'injustes malheurs / Vous a justement couronnée / De gloire, d'éclat et d'honneur, / Mais que vous étiez plus heureuse / Lorsque vous étiez autrefois / Je ne dis pas amoureuse / La rime le dit toutefois / [...] Je pensais car nous autres poètes / Nous pensons extravagamment / Ce que dans l'humeur où vous êtes / Vous feriez si dans ce moment / Vous avisiez en cette place / Venir le duc de Bouquinquan / Et lequel serait en disgrâce / De lui ou du Père Vincent.»
«La Reine ne s'offensa pas de cette raillerie; elle a trouvé [ces vers] si jolis qu'elle les a tenus longtemps dans son cabinet» dit Mme de Motteville. — Ceci devait se passer en 1643.

104 — Je dois la connaissance de cette très curieuse affaire à la science et à l'obligeance de Gilles Feyel qui l'a exposée dans une communication du colloque «Richelieu et la Culture» à la Sorbonne en novembre 1985.

105 — Une «figure sur la naissance» c'est un horoscope. L'article suggère que la Reine mère a demandé à son astrologue Fabrone quel était l'avenir de Richelieu, et en clair, si l'on en serait bientôt débarrassé. Que veut dire cette précision «le nom du Cardinal est écrit de la main dudit Fabrone» : Est-ce que l'horoscope se doublerait d'un envoûtement ?

106 — Griffet, *Histoire du règne de Louis XIII*, 1758, t. III, p. 39-59. — Voir L.V. Tapié, *La France de Louis XIII et Richelieu*, 1952, p. 445 et suiv. — Cl. Dulong, *Anne d'Autriche*, 1980, chap. 6.

107 — La Porte né en 1603; entre au service de la Reine à 18 ans; à titre de portemanteau. La Porte, *Mémoires*, collection Michaud-Poujoulat, 3e série, t. 9, p. 19 et suiv.

108 — Richelieu, *Mémoires*, Michaud et Poujoulat, II, 9, p. 222 et suiv.

109 — Motteville, *Mémoires*, édition Riaux, I, p. 35.

110 — Tallemant, I, 237. Cf. La Rochefoucauld, Michaud Poujoulat, III, 5, p. 386. Que la fouille par le Chancelier ait bien été la fouille corporelle que dit Tallemant est confirmé par La Porte : Séguier montre à la Reine une des lettres envoyées par l'intermédiaire de La Porte et interceptée par la police du Cardinal. «Sa Majesté voulut retenir la

86

lettre et la cacha en son sein, d'où M. le Chancelier l'ayant voulu reprendre, elle la rendit.»

111 – On trouvera ces documents dans Griffet, et dans Avenel, *Lettres... de
Richelieu*, t. V, p. 836-839.

112 – Voir un livre ancien mais bien informé, V. Cousin, *Mme de Chevreuse*,
2e éd., 1862, p. 131. Les déclarations de la Reine, les interrogatoires
de la Supérieure du Val-de-Grâce, et ceux de Laporte conservés dans
la cassette de Richelieu, ont abouti à la B.N. *Supplément français*
4068. – Voir aussi p. 411-424.

113 – Brienne, *Mémoires*, Michaud et Poujoulat, III, 3, 68.

114 – Procédure extraordinaire pour nous; mais le Roi était le souverain
justicier dans son royaume; et le mari était aussi en droit de faire in-
terner sa femme dans un couvent.

115 – La Porte, Mme de Motteville, Brienne évoquent la répudiation. La
Rochefoucauld dit qu'on proposa de la renfermer au Havre, de rompre son mariage, de la répudier.

116 – Pour l'ensemble des rapports entre Richelieu et la Reine, voir Cl. Dulong, *Anne d'Autriche*. Hachette, 1980.

117 – Il y a une autre pièce où transparaît, sous le voile de l'histoire romaine, la même actualité que dans *Mirame* sous le voile romanesque.
Dans *Horace*, Sabine, albaine de naissance, devenue romaine par son
mariage, Camille, romaine fiancée à un albain, sont dans la situation
de Mirame, aimant un ennemi du royaume; dans la situation aussi
d'Anne d'Autriche, infante d'Espagne, devenue reine de France, et
qui n'a pas su choisir et concilie mal ses nouveaux devoirs et ses anciens attachements. – Voir Corneille, *Œuvres*, éd. Pléiade, t. I, p.
1545 et Cl. Dulong, *Anne d'Autriche*, p. 125. – La rencontre entre
Desmarets, assisté du Cardinal ou inspiré par lui et Corneille «pen-
sionnaire» du Cardinal, qu'il appelle «son maître», a de quoi faire
réfléchir.

118 – Richelieu énumère les conseils à son avis déplacés que le P. Caussin,
confesseur de Louis XIII, donnait à son pénitent. Parmi eux, celui-
ci : «il lui avait proposé de faire entremettre la Reine régnante de la
paix, et [dit] que les étrangers se défiaient du Cardinal.» (*Mémoires*.
Michaud et Poujoulat, II, 9, 225). Autour de la Reine pouvait s'organiser un parti de la paix et qui pour cela était nécessairement amené
à avoir des accointances avec l'Espagne et à éliminer Richelieu. La
Reine représentait un danger politique potentiel. Le Père Caussin
fut envoyé à Rennes où, dit avec une ironie féroce Richelieu, il pour-

rait «faire une seconde *Cour Sainte* [le livre qui l'avait rendu célèbre] illustrée des exemples des choses qu'il avait vues et pratiquées en la Cour.» Un peu plus loin, Richelieu fait observer que «l'imprudence du P. Caussin lui avait fait appuyer les secrètes intelligences de la Reine, dans lesquelles Madame de Chevreuse était mêlée bien avant.»

119 — L'ouverture est ce que nous appellerions l'exposition, donc en pratique le premier acte.

120 — Chapelain à Godeau, 24 décembre 1638.

121 — Pellisson, *Histoire de l'Académie...*, éd. 1701, p. 168.

122 — «Quand [Richelieu] fut de retour à Paris, il fit ajouter à l'*Europe* la prise de Sedan qu'il appelait dans la pièce l'*Antre des monstres*. Cette vision lui était venue dans le dessein qu'il avait de détruire la monarchie d'Espagne. C'était comme une espèce de manifeste. M. Desmarets en fit les vers et en disposa le sujet.» Tallemant, I, 287. — Sur *Europe* voir H.G. Hall, *Europe,* Allégorie théâtrale de propagande politique» dans *L'Age d'or du mécénat*, C.N.R.S., Paris, 1985.

123 — «Quand on joua *Europe*, [Richelieu] n'y était pas. Il l'avait vu répéter plusieurs fois avec des habits qu'il fit faire à ses dépens; son bras ne lui permit pas d'y aller». Tallemant, I, 287.

124 — Henri Arnaud, Lettres citées par L. Lacour, *Richelieu dramaturge*, p. 142.

125 — Le texte est en latin, que je traduis : «Paucis diebus, ante vitae tragicae catastrophem, excogitatam a se fabulam, quam Europam triumphatam vocavit exhiberi regia magnificentia voluit; non tamen spectare potuit.» — On remarquera que Mathieu de Mourgues écrit *triumphatam* et non triumphantem; c'est-à-dire triomphe sur Europe, et non triomphe d'Europe : c'est, à son dire, l'Europe qui est dominée et non l'Europe dont la réalité politique s'affirme.

126 — *Europe, comédie héroïque*, chez Henri Le Gras, 1643. Le privilège est du 2 décembre 1642, l'achevé d'imprimer 13 janvier 1643. — Pas de nom d'auteur, mais Desmarets revendique la pièce comme sienne dans un poème adressé à Mazarin. «Tu sais qu'il [Richelieu] m'aimait, que cet esprit sublime / Eut pour moi des moments de tendresse et d'estime [...]. J'ai fait parler l'Europe / Et les siècles futurs aimant ses belles larmes / Aimeront dans mes vers l'équité de nos armes.»

127 — Nous le reproduisons dans le présent volume.

128 — Voir note 118.

129 — En décembre 1641 déjà, la France et la Suède alliées concluaient un accord préliminaire avec l'Empereur. Deux congrès de paix, à Munster et à Osnabruck étaient prévus pour mars 1642. En fait les pourparlers traîneront, les traités de Westphalie seront signés en 1648 seulement. Mais dès l'époque d'*Europe* on les voyait possibles.

130 — «Pièce toute allégorique [...], représente l'ambition des Espagnols pour se rendre maîtres de l'Europe et la protection que lui donne le Roi avec ses alliés pour la garantir de servitude [...]. Cette façon d'écrire est au-dessus des bouffonneries qu'ils ont faites à Madrid et à Bruselles sur quelques mauvais succès qui nous étaient arrivés et des invectives atroces contre le Roi et ses ministres que l'on trouve tous les jours dans les paquets qui nous viennent d'Allemagne.»
Dans le texte même de la pièce, l'honnête Germanique condamne
«Ces infâmes amas d'écrits injurieux
[qui] Semblent partir d'un cœur faible et furieux.»
La violence de cette campagne de pamphlets contre la France est, selon *Europe*, la preuve même de la faiblesse de l'Espagne.

131 — L'alliance de la France avec la Hollande et la Suède scandalise les dévôts. Ainsi le P. Caussin confesseur de Louix XIII : «L'alliance avec les religionnaires a produit la ruine entière de la religion; six mille églises détruites en Allemagne; la messe abolie, les reliques des saints profanées; il valait mieux rompre les alliances avec les protestants que de participer à ces excès». (Lettre citée par le P. Griffet, III, p. 108). Le P. Caussin, confesseur de Louis XIII, sera renvoyé dans la grande vague d'épuration qui a suivi l'affaire du Val-de-Grâce. En décembre 1637 il est expédié à Rennes. (Voir ci-dessus, note 118).

132 — A qui voudrait commenter *Europe*, deux textes, outre le *Testament politique* qui est bien du Cardinal, seraient utiles. Ils ne sont pas du Cardinal, mais de partisans de sa politique après sa mort. Partisans avisés qui l'avaient bien compris, et traduisent, croyons-nous, bien sa pensée. Les deux sont dans l'*Histoire du règne de Louis le Juste*, 1652 : Le *Testament chrétien, c'est-à-dire profession de foi* et le *Testament politique c'est-à-dire mémoire d'État*. Scipion Dupleix les publie en appendice de son *Histoire* et les traduit du latin.

133 — Tallemant, I, 272.

134 — Tallemant, I, 273 et 274.

135 — «La crainte que nous avons que les comédies qui se représentent utilement pour le divertissement des peuples soient quelquefois accompagnées de représentations peu honnêtes... faisons défense à tous

comédiens de représenter aucunes actions déshonnêtes ni d'user d'aucunes paroles lascives ou à double entente». Déclaration du 16 avril 1641. — Ces «représentations peu honnêtes» sont les farces et les prologues qui accompagnent toujours les grandes pièces et qui sont d'ordinaire très libres, très caustiques dans l'évocation de l'actualité. Les défenseurs du théâtre d'ordinaire se désolidariseront des farces, comme du théâtre italien, pendant tout le siècle.

136 — Il est très significatif que le chapitre «Protecteurs du théâtre» dans l'*Histoire de la littérature française au XVIIe s.* d'A. Adam se réduise à deux pages (t. II, p. 464-466). On sait pourtant quel souci d'information animait les recherches d'Adam. Et on voit mal que ces deux pages puissent être beaucoup prolongées et étoffées par des recherches nouvelles.

137 — L'inventaire des titres et papiers de l'Hôtel de Bourgogne publié par E. Soulié, *Recherches sur Molière*, 1863, p. 151-165, emploie entre 1599 et 1639 les formules , «soi disant comédiens ordinaires du Roi, comédiens ordinaires du roi, de la troupe royale»,et une fois «comédiens ordinaires es gages de Sa Majesté».

138 — Voir ci-dessus p. 7.

139 — Voir p. 13-14 et note 18.

140 — L'abbé d'Aubignac a gardé toute sa vie l'humeur dirigiste contractée ou accentuée au voisinage de Richelieu; il continue à être auteur dramatique surtout par procuration, se faisant par exemple le «précepteur» [= le donneur de directives] de Mlle Desjardins, autrement Mme de Villedieu. Il était très disposé à conseiller Corneille comme il l'avait fait, sans succès, à propos d'*Horace*. Le malheur est que Corneille ne voulait pas de ses conseils, ni sans doute des conseils de qui que ce soit. «M. de Corneille, dit-il [d'Aubignac] un jour devant des personnes dignes de foi, ne me vient pas visiter, ne vient pas consulter ses pièces avec moi, ne vient pas prendre de mes leçons, toutes celles [les pièces] qu'il fera seront critiquées.» Donneau de Visé, cité par Mongrédien, *Recueil des textes... relatifs à Corneille*, p. 187. La grande querelle de Corneille et de l'abbé d'Aubignac, en 1663, a donné à l'abbé l'occasion de quatre *Dissertations* (voir G. Couton, *Vieillesse de Corneille*, p. 46 et suiv.) qui donnent une idée de ce qu'auraient pu être les sentences du tribunal théâtral qui, Richelieu vivant plus longtemps, auraient pris la suite des juges du *Cid* et d'*Horace*.
Dans le voisinage de Richelieu, on contractait facilement le goût de la règlementation; témoin Chapelain, qui sera l'un des grands organi-

sateurs du système des gratifications aux gens de lettres, avec Colbert, admirateur de Richelieu, au début du règne personnel de Louis XIV.

141 — Pilet de La Mesnardière (1610-1663) est médecin. Un traité de la mélancolie, écrit à propos des possédées de Loudun le fait connaître de Richelieu. «Un médecin qui n'entend point trop bien le latin [...] qui n'abonde point en jugement [...] et qui n'a songé aux vers que depuis qu'il a vu que c'était une porte pour avoir entrée auprès de Son Éminence Ducale» écrit Chapelain, 6 novembre 1639. La Mesnardière publie en 1640 (privilège 16 octobre 1639 pour trois volumes) une *Poétique*, qui restera inachevée. Le discours préliminaire est très élogieux pour la poésie en général, véhicule de toutes les connaissances. Plus élogieux encore pour la tragédie : «chronique du renversement des empires. Poème grave et magnifique qui a pour sujet ordinaire la révolution des États, la récompense des bons princes et la punition des méchants. Bref un artifice admirable que les Anciens ont employé pour avertir qu'il était des Dieux dans le Ciel qui observaient leurs violences, et qui, après avoir souffert leurs mauvais déportements, déchargeaient enfin leur colère sur les têtes couronnées qui abusaient de la puissance. [...]. La tragédie n'est pas un art destiné au peuple : «Les Muses ne parlent point du tout à la vile multitude dans la grave tragédie.» »

La Mesnardière écrit lui-même une tragédie, *Alinde* (privilège 8 avril 1642, achevé 18 décembre 1643). Chapelain apprécie beaucoup *La Poétique*. La Mesnardière est devenu tout à coup poète et maître des poètes«par les règles qu'il leur donne de la poésie et qu'il leur donne plus agréablement et plus solidement qu'aucun ait fait en France [...] excellentes leçons». Plus tard, La Mesnardière ayant pris position contre la *Pucelle* de Chapelain, celui-ci sera féroce à son égard.

La Mesnardière semble faire de grands progrès dans l'estime du Cardinal aux derniers temps de sa vie. «Ce grand homme des dernières pensées duquel j'ai eu l'honneur d'être **dépositaire** pour ce qui est des belles-lettres. [...] Durant le voyage de Roussillon, dont la sérénité fut **troublée** pour lui de tant d'orages [l'affaire Cinq-Mars], il me mit entre les mains des mémoires faits par lui-même pour le plan qu'il m'ordonna de lui dresser de ce rare et magnifique collège qu'il méditait pour les belles-sciences et dans lequel il avait pour désir d'employer tout ce qu'il y avait de plus éclatant pour la littérature dans l'Europe.» Les Académiciens auraient choisi les professeurs. La Mesnardière dit tout cela dans son discours de réception à l'Académie, publié dans *Poésies*, 1656, p. 472.

142 — *Lettre apologétique*, dans *Corneille*, Pléiade, I, p. 801, et dans une lettre à Boisrobert «J'aime mieux les bonnes grâces de mon Maître que toutes les réputations de la terre.» *Ibid.*, p. 897.

143 — Richelieu : «On ne saurait s'imaginer le mal qui arrive à un État quand on préfère les intérêts des particuliers aux intérêts publics» (*Testament Politique*, p. 330, éd. André). Le titre même de ce chapitre : «qui montre que les intérêts publics doivent être l'unique fin de ceux qui gouvernent les États ou du moins qu'ils doivent être préférés aux particuliers.»
Corneille : «Vouloir au Public immoler ce qu'on aime [...]
          Une telle vertu n'appartenait qu'à nous.»
                              Horace, vers 443 et 449.
Le refus de la faiblesse et de l'indulgence : «On ne saurait commettre un plus grand crime contre les intérêts publics qu'en se rendant indulgents envers ceux qui les violent [...]. L'indulgence pratiquée jusqu'à présent dans ce Royaume, l'a souvent mis en de très grandes et très déplorables extrémités.» Richelieu, p. 340.
          La solide vertu dont je fais vanité
          N'admet point de faiblesse...
                              Horace, vers 485-486.
L'isolement du grand homme. [Le Conseiller d'État] «doit savoir que le travail qu'on fait pour le public n'est souvent reconnu d'aucun particulier et qu'il n'en faut espérer d'autre récompense en terre que celle de la renommée propre à payer les grandes âmes.» Richelieu, p. 296. Cf. Maxime CIX, édition Hanotaux.
          Horace, ne crois pas que le peuple stupide
          Soit le maître absolu d'un renom bien solide [...]
          C'est aux Rois, c'est aux Grands, c'est aux esprits bien faits
          A voir la vertu pleine en ses moindres effets.»
                              Horace, vers 1711-1718.

144 — *Clélie*, 1660, t. VIII, p. 861.

TABLE DES MATIERES

L'impression de cet ouvrage
a été réalisée par

Compo System
Route de la Glande − 69760 Limonest

Dépôt légal 2ème trimestre 1986